Electrónica

Dr. Rainer Köthe

Ilustraciones de Raphael Volery

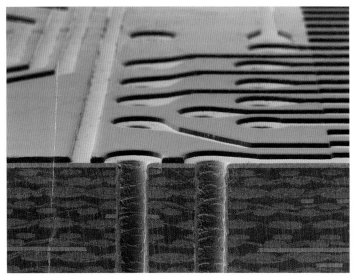

Sección de una placa de circuito impresa

PANAMERICANA
EDITORIAL

Prólogo

Hace justo 100 años, el americano Lee de Forest inventó la válvula electrónica, el primer componente típicamente electrónico, que durante más de medio siglo determinó la electrónica. Gracias a él fueron posibles los aparatos de radio, la radiodifusión y más tarde los televisores. Hace apenas 60 años los científicos de los laboratorios Bell desarrollaron en Estados Unidos el transistor, más pequeño y potente.

Por algunos años, el transistor sustituyó casi totalmente a las válvulas en los aparatos electrónicos, y gracias a este la electrónica se volvió prácticamente omnipresente. Hoy, en forma de radiotransistores y aparatos de televisión ha llegado casi hasta el último pueblo, por muy retirado que esté. En todo el mundo operan empresas electrónicas de miles de millones desarrollando siempre nuevas maravillas técnicas.

En ocasiones se duda de su utilidad. Sin embargo, su eficacia técnica es realmente formidable, por ejemplo, reunir la potencia de procesamiento de un computador con transmisores y emisores de radio y todo ello en un celular que cabe en la palma de la mano, junto a una cámara digital, una grabadora de voz, así como un reloj, un despertador, un calendario, una agenda de direcciones y además algunos juegos. Quien quiera saber cómo funcionan realmente estos aparatos electrónicos que hoy están por todas partes encontrará las respuestas en este libro.

Este libro muestra lo que sucede en las válvulas electrónicas, transistores, diodos y muchos otros elementos electrónicos asombrosos y qué papel desempeñan los electrones, las partículas diminutas a las cuales la electrónica debe su nombre. Quien desee dedicarse a este campo encontrará aquí unas sencillas instrucciones para construir un pequeño aparato electrónico.

El libro se completa con un vistazo al excitante futuro que nos espera, pues el desarrollo de la electrónica tiene todavía un largo camino por delante.

Kothe, Rainer
Electrónica / Rainer Kothe ; ilustraciones Raphael Volery … [et al.] ; traductora Amalia Risueño. -- Editor César A. Cardozo Tovar. -- Bogotá : Panamericana Editorial, 2012.
48 p. : il. ; 28 cm. -- (Cómo y por qué)
Incluye índice.
Título original : Elektronik.
ISBN 978-958-8756-23-3
1. Electrónica - Literatura juvenil 2. Ingeniería Eléctrica y electrónica - Literatura juvenil 3. Circuitos de transistores - Literatura juvenil I. Volery, Raphael, il. II. Risueño, Amalia, tr. III. Cardozo Tovar, César A., ed. IV. Tít. V. Serie.
621.381 cd 21 ed.
A1336225

CEP-Banco de la República-Biblioteca Luis Ángel Arango

Índice de las fuentes gráficas:

Fotos: www.apple.com: pág. 33, 47; Archiv f. Kunst u. Geschichte: pág. 21, 22, 26, 39, 46; Archivo Editorial Tessloff: pág. 6, 7, 8, 9, 17, 36; Prof. Dr. Buggisch, Erlangen: pág. 23, 24 (Bergkristall); www.carofoto.com: pág. 37; Corbis: 10, 13, 23, 26, 32, 36, 37, 38, 41 (2), 44 (2), 45; Daimler: pág. 14; Deutsches Technikmuseum, Berlín: pág. 16; E Ink Corporation: pág. 47, 47; Focus, Hamburg: pág. 1, 5, 10, (Blutzelle, Röntg.), 12, 13, 17, 18, 19, 21, 22, 22, 23 (2), 24, 24, 25, 28, 29, 290 (2), 3, 34, 35, 35, 37, 37, 38 (2), 40, 40, 42, 44, 45, 45, 45, 46; Institut Kage, Lauterstein: pág. 30, 32, 33; Honda Motor Europe (North) GmbH, Offenbach: pág. 5; Novaled AG, Dresden: pág. 41; Philips GmbH: pág. 21, 21; Picture alliance: pág. 13, 22, 24, 25, 26, 28, 28, 29, 35, 37 (2), 39, 40, 41; Siemens Fotoarchiv: pág. 18

Fotografías de la cubierta: Focus: SPL/TEK (Circuito); Fotolia LLC: Demarco (Cable a la derecha); T. Semmler (Cable de fibra óptica); Shutterstock: Hai_P (LED), Oriontrail (Fondo)

Diseño de cubierta: Agencia de diseño Dunkelau, Berlín

Ilustraciones: Raphael Volery, Zúrich

© 2010, 2006 TESSLOFF VERLAG, Burgschmietstraße 2–4, 90419 Nürnberg
www.tessloff.com • www.wasistwas.de

Primera edición en Panamericana Editorial Ltda., julio de 2012 • **Título original:** *Elektronik* • **Editor:** Panamericana Editorial Ltda.
Edición: César A. Cardozo Tovar • **Traducción del alemán:** Cristina Rodríguez Aguilar • **Diagramación:** Marca Registrada Diseño Gráfico Ltda.
© 2012 Panamericana Editorial Ltda. Calle 12 No. 34-30. Tel.: (57 1) 3649000 Fax: (57 1) 2373805
www.panamericanaeditorial.com • Bogotá, D. C., Colombia
Prohibida su reproducción total o parcial por cualquier medio sin permiso del Editor.
Impreso en China - *Printed in China*
ISBN 978-958-8756-23-3

Contenido

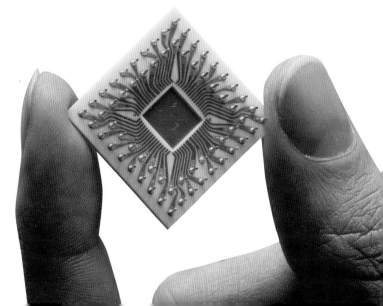

La electrónica influye en nuestro mundo

A diario todos nos servimos de la electrónica. Los aparatos electrónicos solucionan por nosotros una gran cantidad de tareas; nos hacen la vida más fácil, más agradable y más segura. Los televisores nos enseñan el mundo, los radios nos dan noticias y música en casa o en el automóvil.

Las cámaras digitales almacenan fotografías, los teléfonos y los celulares nos conectan con otras personas y los reproductores de CD o MP3 nos proporcionan música en cualquier situación. Los computadores nos ayudan en el trabajo y nos conectan con Internet, la

┌ ─ ─ ─ ─ ─ ┐
│ — │
│ **¿Qué es la** │
│ **electrónica?** │
└ ─ ─ ─ ─ ─ ┘

La electrónica está en todas partes: en satélites, televisores, computadores y consolas de videojuegos, así como en el centro de control de una central energética.

4

red mundial de información y comunicación. Los relojes de cuarzo, consolas de videojuegos, reguladores de luz, la estación meteorológica de pared o las celdas solares del tejado en aparatos electrónicos.

La lavadora se controla eléctricamente, en el horno de microondas estas surgen por medios electrónicos; las puertas y escaleras eléctricas nos detectan electrónicamente; también los aparatos de rayos X y computadores para tomografías.

En el automóvil hay cada vez más recursos electrónicos: también minicomputadores que vigilan y controlan el motor y los frenos y que incluso mantienen el automóvil gobernable en zonas resbaladizas. En el navegador, la electrónica nos posibilita encontrar el camino correcto sin ningún problema.

No hay oficinas sin computadores, teléfono y fax, ni fábricas cuyas máquinas no se controlen electrónicamente. La cabina de pilotaje de un avión, el puente de un barco se sirven de una colección de pantallas y controladores electrónicos.

En los satélites, dispositivos electrónicos orbitan la Tierra, establecen conexiones, buscan recursos e informan acerca del tiempo. Además, la electrónica hizo posible la astronáutica: sondas espaciales y equipos electrónicos detectan planetas lejanos y envían imágenes fascinantes e información a la Tierra.

AYUDANTES ELECTRÓNICOS DEL FUTURO

En esencia, la electrónica se encuentra en su desarrollo incipiente. Laboratorios de todo el mundo investigan para que aparatos y componentes sean aún más pequeños, más baratos y más potentes que los actuales. Se estima que en el futuro, todos los aparatos serán más inteligentes y que intercambiarán información entre ellos donde sea necesario. Un auto, por ejemplo, puede autovigilarse, como una casa, y también la salud de sus habitantes podrá monitorearse constantemente por dispositivos en el hogar, por ejemplo, mediante el análisis del aire exhalado. En algunos años, habrá robots domésticos asequibles, capaces de realizar múltiples tareas. Muchos investigadores, sobre todo en Japón, trabajan intensamente en este aspecto. Sin embargo, aún son muchos los problemas que quedan por resolver: los robots deben moverse como un humano y ser capaces de orientarse automáticamente en un entorno tan complicado y siempre cambiante como una casa. Es decir, necesitan buena vista, gran inteligencia y un conocimiento general amplio. Y por supuesto, deben poseer muchas habilidades prácticas para resultar realmente útiles, desde lavar y pasar la aspiradora hasta el cuidado de ancianos y enfermos.

Un vistazo a un aparato electrónico

Los aparatos electrónicos modernos son delicados y solo un experto debería desmontarlos. Sin embargo, podemos atrevernos a desatornillar con cuidado la carcasa de un radiotransistor viejo y explorar su funcionamiento. Pero hay que desenchufarlo.

La parte central del aparato es la placa, **LA PLACA** también llamada tarjeta de circuito impreso o PCB (del inglés *printed circuit board*). Esta placa de plástico lleva en un lado los componentes electrónicos, los cuales realizan el verdadero trabajo en la radio. Si damos la vuelta a la placa, vemos cómo están sujetos: los cables de conexión sobresalen por pequeños agujeros y están soldados, es decir, unidos a la placa mediante metal. Entre los puntos de soldadura se pueden ver finas tiras. Están hechas de cobre y tienen la función de cables de conexión: conducen la electricidad entre los componentes, y por eso se llaman conductores. Son difíciles de reconocer debido a que la parte inferior está cubierta con un barniz protector que solo deja libre la soldadura. También se ven algunos cables reales. Dos conectan la placa con las terminales en el compartimento de la batería, es decir, conducen la electricidad. Otros llevan a un gran parlante, a la varilla de la antena, a los interruptores o a los enchufes en las paredes de la casa.

Radiotransistor

Interruptor

Transistor

Condensador

Resistencia

Bobina

Primer plano de la placa de un radiotransistor con sus componentes. En la fábrica la placa de plástico se agujerea con una máquina, se colocan las piezas y se sueldan.

Parte posterior de la placa. Los materiales que se usan para las placas son planchas de plástico con una fina capa de cobre. Allí por donde no pasa ningún conector se quita el cobre.

Los diminutos "rodillos", provistos cada uno de dos cables de conexión y **RESISTENCIAS** por lo general con dos anillos impresos con tinta de color, son las resistencias. Estas suponen un obstáculo más o menos fuerte para la corriente eléctrica que fluye a través de ellas. Gracias a ellas se puede regular el flujo de corriente y de esta manera proveer a cada componente de la placa con la cantidad correcta de electricidad. Los pequeños rodillos tienen cada uno un valor de resistencia concreto, este valor se mide en la unidad "ohmio" y puede leerse en los anillos de color. Como un ohmio es muy pequeño, se suele usar un múltiplo:

1 kiloohmio (kΩ)= 1000 ohmios; 1 Megaohmio (MΩ) = 1 millón de ohmios.

Resistencias

Diodos luminosos

Diodos

DIODOS LUMINOSOS

Los diodos luminosos (LED) están en una carcasa de plástico cuadrada o redonda con dos conexiones. Cuando fluye corriente eléctrica emiten una luz blanca o de color y se utilizan, por ejemplo, para indicar si un aparato está encendido.

POTENCIÓMETROS

Los controles del volumen en los radios y televisores son resistencias variables, que reciben el nombre de potenciómetros. Si se gira su clavija, se puede aumentar o disminuir la resistencia.

Potenciómetros

CONDENSADORES

Los condensadores utilizados en los circuitos electrónicos presentan una gran variedad de tamaños y formas y cumplen distintas y numerosas tareas. Están compuestos de dos láminas de metal cada una con una conexión, que están separadas por una finísima capa de material aislante. Los hay de diferente capacidad eléctrica, la cual se mide en "faradios". Algunos parecen gruesos rodillos, otros pequeños caramelos o gotas, de cada uno salen dos cables. Debido a que el faradio es una unidad muy grande, se utilizan generalmente las fracciones: 1 microfaradio (μF) = una millonésima parte de un faradio, 1 nanofaradio (nF) = una mil millonésima parte de un faradio. Además de los condensadores de valor fijo, también existen condensadores regulables, llamados condensadores variables. Con las bobinas forman los elementos con los que la radio filtra la emisora deseada de entre la multitud de canales de radio existentes.

Antes las válvulas electrónicas caracterizaban el interior de un receptor de radio

TRANSISTORES —cuerpos de vidrio en los que se había hecho el vacío y que durante su funcionamiento brillaban con una luz roja y misteriosa–. Los transistores que hoy día hacen el mismo trabajo que hacían las válvulas electrónicas son, sin embargo, poco visibles: pequeños bloques de metal o plástico, cada uno con tres terminales, que se denominan emisor, base y colector. A veces, muchos transistores se combinan en un solo chip, es decir, una misma carcasa de plástico con numerosas piernitas de metal. Los transistores sirven en la radio, sobre todo, de amplificadores: las lejanas emisoras de radio producen señales extremadamente débiles en la antena. Los transistores las aumentan y convierten en señales fuertes, que bastan para accionar un parlante.

Transistores

Microchip

En un radio hay muchas bobinas (compo-

BOBINA nentes de alambre enrollado). Una de ellas, por lo general, está en una barra gris, que se encarga de la recepción de la banda de frecuencias de onda media. Otras están en pequeños receptáculos de metal que las protegen de las interferencias.

DIODOS

Los diodos son diminutos rodillos sin anillos de color, válvulas que dejan fluir la corriente eléctrica en una sola dirección.

CIRCUITO

Un aparato electrónico funciona porque cada componente se selecciona según su clase y sus propiedades eléctricas y se une a otros de manera correcta. El ingeniero electrónico llama circuito a un conjunto de estas características y componentes conectados entre sí. Todos los aparatos electrónicos tienen un diagrama de circuito. En este aparece cada componente con sus respectivas conexiones eléctricas, de manera clara y estructurada. Los componentes se representan en símbolos; por ejemplo; las resistencias aparecen como pequeñas cajas, los diodos luminosos, en forma de triángulos con flechas. El componente eléctrico y sus valores eléctricos aparecen al lado del símbolo que lo representa. Las conexiones eléctricas por medio de cables o conductores se dibujan como simples líneas. La conexión entre dos cables se distingue de la simple intersección sin conexión mediante un punto grueso. En las instrucciones en la página 9 hay dos diagramas de circuitos sencillos.

Condensadores

Utiliza un

Bricolaje electrónico

¿Cómo te parecería un pequeño sistema de alarma que te avisara que va a llover, que el agua va a rebosar la bañera o que alguien abre la puerta o la ventana?

Necesitas
- 2 transistores NPN BC 238-40 o similares
- 1 resistencia de 100 ohmios, 1 kiloohmio, 10 kiloohmios, 470 kiloohmios
- 1 diodo luminoso universal rojo
- 1 timbre miniatura (1,5-4 voltios, 20 mA)
- 1 clip de batería para una pila de 9 voltios
- 1 pila de 9 voltios
- Clemas (lo más pequeñas posible)
- Cable de conexión
- 1 destornillador pequeño (para los tornillos de las clemas)

Construye el circuito exactamente como se indica en las fotografías de abajo. Primero conecta uno de los transistores con una de las clemas grandes (1). Fíjate que la conexión de los cables sea correcta, como muestra la fotografía. A continuación fija a la base del transistor 1 (clema mediana) una resistencia de 10 kiloohmios y una de 470 kiloohmios. Conecta a los colectores del transistor 1 la resistencia de 1 kiloohmio. El emisor tienes que unirlo con un cable al que previamente has quitado la capa aislante de plástico a ambos extremos (a esto se llama "pelar el cable") (2).

Asimismo, el transistor 2 lo conectas con una clema grande y el colector a la resistencia de 100 ohmios y esta a su vez con el extremo corto del diodo luminoso mediante una sola clema. (3). A continuación conecta ambos transistores, uniendo la resistencia de 470 kiloohmios y el trozo de cable del transistor a la base (clema mediana) del transistor 2. Atornilla una clema al extremo libre de la resistencia de 10 kiloohmios. Pela un cable por ambos extremos e introduce uno de ellos en la clema (4).

El otro extremo del cable es el contacto B. En el extremo libre del diodo luminoso pon otra clema, a la que también atornillas la conexión libre de la resistencia de 1 kiloohmio, un trozo de cable con el extremo pelado como contacto A, una conexión del timbre y el cable rojo de los clips de batería. La otra conexión del timbre la conectas al colector del transistor 2.

Cuando hayas terminado de montar el circuito, comprueba otra vez todas las conexiones. Además puedes controlarlo utilizando el diagrama 1. Si está todo bien, puedes conectar la pila. Conecta

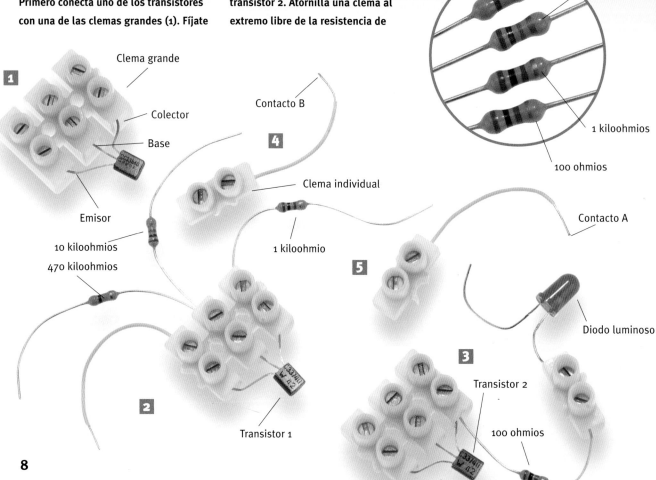

8

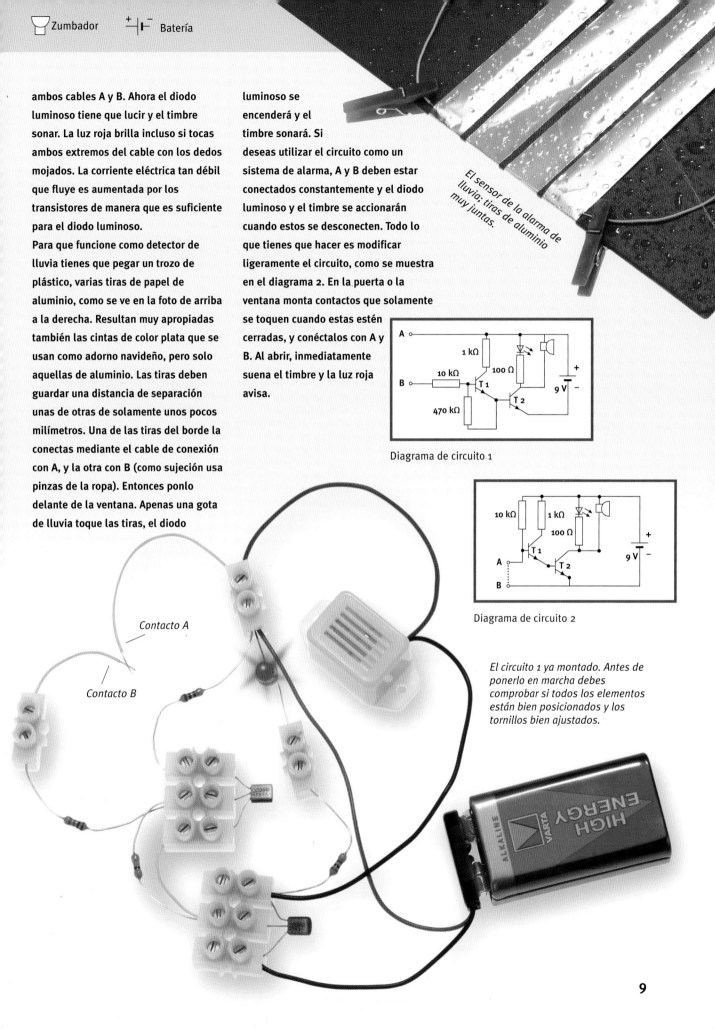

ambos cables A y B. Ahora el diodo luminoso tiene que lucir y el timbre sonar. La luz roja brilla incluso si tocas ambos extremos del cable con los dedos mojados. La corriente eléctrica tan débil que fluye es aumentada por los transistores de manera que es suficiente para el diodo luminoso.

Para que funcione como detector de lluvia tienes que pegar un trozo de plástico, varias tiras de papel de aluminio, como se ve en la foto de arriba a la derecha. Resultan muy apropiadas también las cintas de color plata que se usan como adorno navideño, pero solo aquellas de aluminio. Las tiras deben guardar una distancia de separación unas de otras de solamente unos pocos milímetros. Una de las tiras del borde la conectas mediante el cable de conexión con A, y la otra con B (como sujeción usa pinzas de la ropa). Entonces ponlo delante de la ventana. Apenas una gota de lluvia toque las tiras, el diodo

luminoso se encenderá y el timbre sonará. Si deseas utilizar el circuito como un sistema de alarma, A y B deben estar conectados constantemente y el diodo luminoso y el timbre se accionarán cuando estos se desconecten. Todo lo que tienes que hacer es modificar ligeramente el circuito, como se muestra en el diagrama 2. En la puerta o la ventana monta contactos que solamente se toquen cuando estas estén cerradas, y conéctalos con A y B. Al abrir, inmediatamente suena el timbre y la luz roja avisa.

El sensor de la alarma de lluvia: tiras de aluminio muy juntas.

Diagrama de circuito 1

Diagrama de circuito 2

Contacto A

Contacto B

El circuito 1 ya montado. Antes de ponerlo en marcha debes comprobar si todos los elementos están bien posicionados y los tornillos bien ajustados.

9

Electrones: misteriosos y útiles

¿De dónde viene el nombre "electrónica"?

Incluso si el radiotransistor se desmonta encima de la mesa, se le pueden poner unas pilas y encenderlo (por motivos de seguridad no lo conectes a la red eléctrica). Si al desmontarlo no se ha arrancado ningún cable funcionará como antes. Aunque ahora pueden verse sus "tripas", seguimos sin saber cómo funciona.

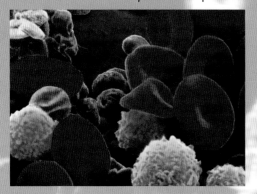

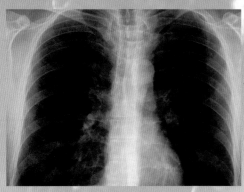

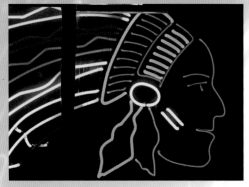

Estas imágenes muestran todos los lugares donde intervienen los electrones: en un microscopio electrónico (una toma de células sanguíneas), en los equipos de rayos X o en los tubos de neón.

La transformación de la corriente de las pilas en palabras audibles y música sucede de manera invisible. Todos los aparatos electrónicos tienen algo en común: funcionan mediante electrones y estos son extremadamente pequeños. Cuando por un cable fluye corriente eléctrica, en realidad fluyen electrones, algo así como una corriente de agua que por un tubo fluyen pequeñas partículas de agua. Esto fue descubierto en 1897 por el físico británico Joseph J. Thomson y le valió el Premio Nobel de Física que recibiría en 1906. Sin embargo, la denominación "electrones" no la acuñaría él sino su colega, el también físico, George J. Stoney. Los aparatos electrónicos constan de una gran cantidad de componentes. Su misión consiste en modificar el flujo de electrones con algún fin concreto o en transformar la energía de los electrones que fluyen, por ejemplo, en calor, luz, sonido o magnetismo. A estos componentes, junto a los transistores y los diodos luminosos pertenecen los chips de computador, los parlantes, las válvulas electrónicas, las pantallas de televisión y muchos otros. A principios del siglo XX, se dio el nombre de electrónica a la rama especial de la ingeniería eléctrica que se ocupa de esos componentes.

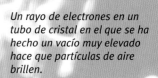

Un rayo de electrones en un tubo de cristal en el que se ha hecho un vacío muy elevado hace que partículas de aire brillen.

Si nos imaginamos un átomo del tamaño de un estadio de fútbol, entonces el núcleo sería tan grande como una cereza, y aun así los electrones serían tan pequeños como una mota de polvo.

Los electrones son omnipresentes: forman parte de todos los átomos. Y nuestro mundo está compuesto por un sinfín de átomos: cada objeto, nuestro cuerpo, el aire que respiramos, todo se compone de átomos. Muchos de ellos, unidos entre sí, forman las moléculas.

¿Dónde se encuentran los electrones?

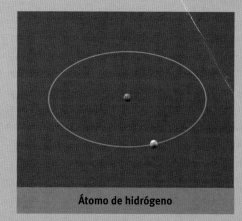

Átomo de hidrógeno

LA INGENIERÍA ELÉCTRICA, es decir, la aplicación técnica de la electricidad, es un campo muy amplio. La electrónica es solo un área que, no obstante, cada vez está más presente en otras. Otros campos de la ingeniería eléctrica son la ingeniería energética, que se ocupa de la producción y distribución de la corriente eléctrica, la ingeniería de propulsión con sus motores eléctricos y la ingeniería de telecomunicaciones, que trata de la transmisión de información de todo tipo por cable o radio.

Los átomos son diminutos y solamente pueden verse mediante aparatos especiales. Si pudiéramos colocarlos en fila uno al lado del otro, diez millones de ellos cabrían en un milímetro. ¡Un solo grano de arena contiene alrededor de 100 millones de billones de átomos!

La palabra átomo viene del griego y significa "indivisible". Al principio se pensó que los átomos eran las partículas más pequeñas de la materia. Sin embargo, hace apenas 100 años los investigadores averiguaron que también el átomo se compone de más partículas.

Primero se descubrió que el átomo está prácticamente vacío. Si hinchásemos un átomo hasta que adquiriese el tamaño de un estadio de fútbol, al principio no veríamos casi nada. Solo después de mirar atentamente, divisaríamos una pequeña estructura del tamaño de una cereza; el "núcleo atómico". Este contiene la casi totalidad de la masa del átomo. La masa en el núcleo se encuentra compacta: ¡Una cucharadita de materia, que consistiera solamente en núcleos atómicos pesaría varias toneladas! Sin embargo, el espacio que rodea al núcleo atómico no está vacío del todo. En esta

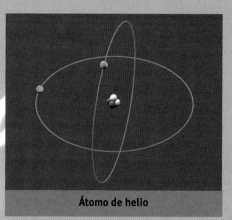

Átomo de helio

Átomo de hierro

Cada átomo posee un determinado número de electrones.

"envoltura" del átomo giran los electrones, cuyo tamaño se parece a una mota de polvo.

Su cantidad varía según el átomo al que pertenezcan: un átomo de gas de hidrógeno, por ejemplo, tiene un electrón; el hierro, en cambio, tiene 26 electrones en cada uno de sus átomos; y en un átomo de uranio hay 92 electrones.

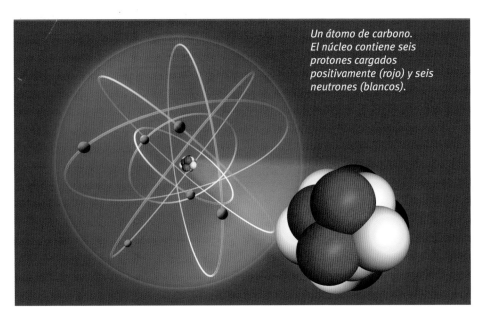

Un átomo de carbono. El núcleo contiene seis protones cargados positivamente (rojo) y seis neutrones (blancos).

LAS MOLÉCULAS

Cuanto más lejos esté un electrón del núcleo, más débil es su fuerza de atracción. Especialmente los electrones que se encuentran en la parte externa de la envolturate. Si dos átomos están muy cerca el uno del otro puede suceder que uno de los electrones orbite alrededor de ambos núcleos. Esto tiene un efecto asombroso: los átomos están unidos como con pegamento. El resultado es un enlace atómico, una molécula. Todas las sustancias del universo se componen de moléculas de a veces miles de átomos. Arriba, el núcleo del átomo de carbono contiene seis protones cargados positivamente (rojo) y seis neutrones (blanco).

De manera comparable a un enjambre de mosquitos, los electrones revolotean alrededor del núcleo atómico. Y esto lo hacen a una velocidad enorme: completar una órbita le lleva a un electrón solamente alrededor de una diezmillonésima de una milmillonésima de segundo. A pesar de su ritmo, los electrones no salen volando porque el núcleo los tiene bien sujetos. La causa es una propiedad especial de los electrones: poseen una "carga". Esta se muestra a través de las cargas o fuerzas que las partículas ejercen unas sobre otras. Si dos cargas se acercan, se repelen o se atraen. Para diferenciarlas una recibe el nombre de "carga negativa" y la otra "carga positiva". Dos partículas con la misma carga se repelen, dos partículas con distinta carga se atraen. Cuanto más se acercan más grande es la fuerza de atracción. Los electrones poseen cada uno una carga negativa; los núcleos, en cambio, positiva y por este motivo mantienen sujetos a los electrones. La causa de que los núcleos atómicos tengan una carga positiva es asimismo una clase especial de pequeñas partículas: los protones. Un protón tiene alrededor de 2000 veces la masa de un electrón, pero exactamente la misma carga; simplemente es de otra clase. En la mayoría de los núcleos hay unas partículas adicionales de una tercera clase; los neutrones. Estos, sin embargo, carecen de carga. Normalmente alrededor de un núcleo giran tantos electrones como protones hay en él; a cada protón le corresponde un electrón de la envoltura. La fuerza de atracción entre protones y electro-

> **¿Qué mantiene a los electrones sujetos a los núcleos?**

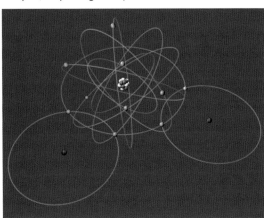

Una molécula de agua. El átomo de oxígeno (arriba) está unido a dos átomos de hidrógeno. Aquí las órbitas de algunos electrones se solapan, lo que origina la fuerza del enlace.

Los electrones giran libremente alrededor del núcleo. Solo puede indicarse donde se ubican con más frecuencia; aquí se representan de forma gráfica mediante luces azules en un átomo de helio.

RESISTENCIA

Tampoco en los metales pueden circular los electrones sin interferencias. Los núcleos atómicos son pequeños, pero aun así su fuerza de atracción se extiende por el espacio y entorpece el movimiento de los electrones. Se nota entonces un impedimento o "resistencia eléctrica". Su valor depende, entre otros factores, de la intensidad de la fuerza de atracción en los átomos del correspondiente material.

En el metal de un cable la resistencia eléctrica es pequeña, en el plástico que lo reviste, grande. Este aísla el cable de la corriente eléctrica no deseada.

nes hace que los electrones no se escapen volando.

Desde afuera se nota muy poco la enorme fuerza en el interior del átomo, debido a que las cargas se equilibran: el átomo es eléctricamente "neutro".

Normalmente, los electrones están unidos a su núcleo. Sin embargo, hay sustancias como los metales (cobre o hierro) cuyos núcleos no pueden sujetar sus electrones, al menos una parte. Si se aumentara un alambre de cobre un billón de veces, se podrían reconocer los núcleos colocados a distancias regulares unos junto a otros formando un enorme y espacioso enrejado. Entre los núcleos, sin embargo, circulan innumerables electrones de manera desordenada, la mayoría de los cuales giran alrededor de su núcleo "madre". Algunos han vencido la fuerza de atracción de su núcleo y se mueven libremente en direcciones aleatorias por la red atómica. Hacer que estos electrones libres pasen todos juntos a gran velocidad como un torbellino por la red atómica, recibe el nombre de corriente eléctrica.

> **¿Por qué a veces los electrones pueden correr libremente?**

Corriente eléctrica en un conductor eléctrico: Al aplicar una tensión los electrones libres se desplazan entre los átomos de metal del polo negativo al polo positivo.

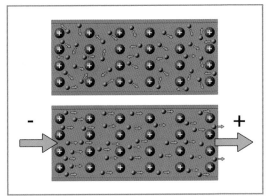

La cerámica,

la madera...

... y el plástico son aislantes, lo cual significa que no conducen la corriente eléctrica.

Los materiales como metales, por los que se desplaza un flujo de electrones de ese tipo, se llaman también "conductores eléctricos".

En sustancias como el plástico, la madera o la porcelana, esta corriente eléctrica no es posible, porque los núcleos mantienen sujetos casi todos los electrones. Por eso se puede tocar sin peligro un cable eléctrico revestido de plástico; resultaría mortal tocar el hilo de cobre sin ese revestimiento. Estos materiales reciben el nombre de no conductores o aislantes.

Normalmente, en un cable los electrones libres se mueven de forma anárquica.

¿Cómo se puede hacer que los electrones se desplacen?

Si se quiere dejar pasar una corriente eléctrica, es decir, obligar a estos electrones a desplazarse todos en la misma dirección, se necesita una "bomba de electrones". Como modelo puede servirnos una bomba de agua, que tiene dos conexiones, unidas mediante dos tubos llenos de agua. Al poner la bomba en marcha, se absorbe agua del tubo y esta es empujada con fuerza dentro del otro tubo. Por supuesto, para esto se necesita energía, que en una bomba manual correría a cuenta de la fuerza muscular.

Una pila, por ejemplo, es una bomba de electrones. Esta tiene también dos conexiones, llamadas polos.

En un polo se absorben los electrones de un cable (polo positivo). En el otro (polo negativo) se produce una presión sobre los electrones.

La energía necesaria para esto proviene de reacciones químicas, que se producen dentro de la pila. Cuando estas sustancias químicas se agotan, la pila está "agotada" y deja de funcionar como bomba de electrones.

De igual manera que hay bombas más y menos potentes, también hay baterías más y menos potentes. Una medida para esta es la "dife-

CELDAS DE COMBUSTIBLE

Dentro de algunos años quizá las pilas sean reemplazadas en su papel de proveedoras de corriente eléctrica por células de combustible. También estas convierten la energía química en corriente eléctrica, en este caso la energía que se libera en forma de calor en la combustión de un gas inflamable. En la célula de combustible esta combustión tiene lugar sin llama y gracias a excipientes especiales. En el futuro células de combustible de tamaño pequeño alimentarán aparatos portátiles, modelos grandes pueden incluso suministrar suficiente electricidad para autos eléctricos (a la izquierda un modelo desarrollado por Daimler).

ASÍ FUNCIONA UNA CELDA DE COMBUSTIBLE

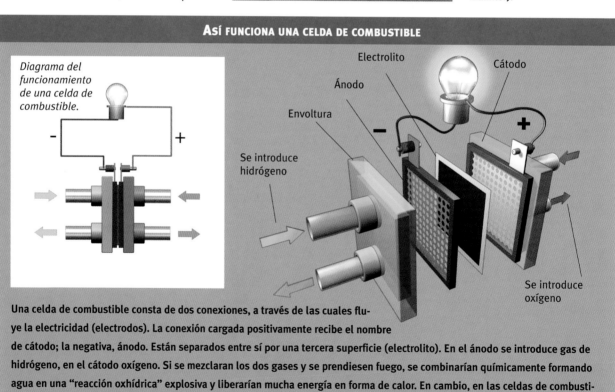

Diagrama del funcionamiento de una celda de combustible.

Una celda de combustible consta de dos conexiones, a través de las cuales fluye la electricidad (electrodos). La conexión cargada positivamente recibe el nombre de cátodo; la negativa, ánodo. Están separados entre sí por una tercera superficie (electrolito). En el ánodo se introduce gas de hidrógeno, en el cátodo oxígeno. Si se mezclaran los dos gases y se prendiesen fuego, se combinarían químicamente formando agua en una "reacción oxhídrica" explosiva y liberarían mucha energía en forma de calor. En cambio, en las celdas de combustible tiene lugar una reacción electroquímica: en el ánodo se forman partículas de hidrógeno cargadas positivamente (protones); en el cátodo, partículas de oxígeno cargadas negativamente. Así surge una tensión eléctrica entre los electrodos. Los electrones liberados del gas de hidrógeno en el ánodo salen por el cable (polo negativo). Los protones fluyen por el electrolito hasta el cátodo y allí producen una reacción con el oxígeno y los electrones suministrados por el cable (polo positivo) producen agua.

Modelo de un circuito eléctrico como ciclo de agua: la bomba hace fluir el agua de manera que la hélice gira.

De forma similar una pila acciona un flujo de electrones a través de un cable y enciende la bombilla.

Un estrechamiento en el tubo supone una resistencia: el agua fluye mal aquí y en todo el circuito.

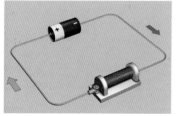

De igual manera, una resistencia eléctrica obstaculiza la corriente eléctrica en todo el circuito eléctrico.

rencia de presión", que puede producir entre sus polos. Esta recibe el nombre de "tensión eléctrica" y se mide en voltios. En una pila AA, por ejemplo, entre ambas conexiones hay 1,5 voltios; en una pila bloque, 9 voltios.

Si se quiere encender una bombilla con la electricidad de una pila, no basta simplemente con conectarla a uno de los polos de la pila, porque los electrones se acumularían dentro muy rápidamente e impedirían que otros vinieran detrás. La otra conexión de la bombilla debe tener contacto con el otro polo de la pila.

¿Qué es un circuito eléctrico?

Ahora los electrones pueden fluir desde un polo a través de la bombilla hasta el otro polo y hacer que un filamento se ilumine, accionar un pequeño motor eléctrico o hacer sonar una radio. La corriente eléctrica solamente fluye mientras este circuito permanezca cerrado.

Si en un punto del recorrido de la corriente se coloca una gran resistencia, la corriente eléctrica que corre por todo el circuito se limitará como una manguera de riego de algunos metros de largo da poca agua si se aprieta en algún punto.

La intensidad de la corriente eléctrica se mide en "amperios" (A) y miliamperios (mA). 1000 mA equivalen a 1 amperio.

Una pila empuja los electrones en un solo sentido, en un flujo homogéneo a través del cable. Suministra lo que se conoce con el nombre de corriente continua. Muy distinta de la corriente que viene de un enchufe: en este los electrones cambian regularmente de sentido. Aproximadamente durante $1/50$ de segundo fluyen en un sentido, permanecen quietos un momento y vuelven a fluir durante $1/50$ de segundo en el sentido contrario.

¿Pueden desplazarse los electrones solo en un sentido?

Esta "corriente alterna" tiene una frecuencia (de vibración) de 50 vibraciones por segundo. Además existen buenas razones para que del enchufe no salga corriente continua. La corriente alterna se puede producir fácilmente en una central eléctrica; además la corriente alterna se puede trasladar mejor a través de grandes distancias desde la central eléctrica a cada casa que la corriente continua. Si se desea accionar un aparato electrónico utilizando la corriente eléctrica del enchufe, esta puede convertirse en continua mediante un accesorio llamado "rectificador".

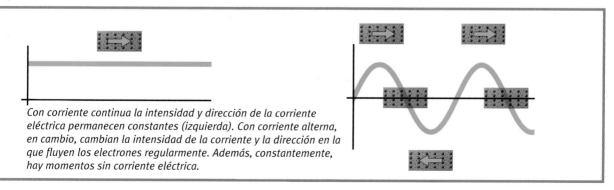

Con corriente continua la intensidad y dirección de la corriente eléctrica permanecen constantes (izquierda). Con corriente alterna, en cambio, cambian la intensidad de la corriente y la dirección en la que fluyen los electrones regularmente. Además, constantemente, hay momentos sin corriente eléctrica.

Electrones en vuelo libre

El inventor norteamericano Thomas Alva Edison descubrió las válvulas electrónicas, sin saber el gran alcance de estas.

Una de las primeras válvulas electrónicas. Abajo se ve el cátodo como bobina de calentamiento en el medio de la red y arriba el ánodo como cable helicoidal.

¿Cómo nació la electrónica?

Aproximadamente durante medio siglo la válvula electrónica (también llamada válvula termoiónica) fue el componente electrónico más importante. Gracias a ella fueron posibles los aparatos de radio, las radioemisoras y muchos otros. Sin embargo, todo esto comenzó por casualidad.

Hacia 1880, el famoso inventor Thomas Alva Edison presentó en Estados Unidos un invento: luz eléctrica de bombillas. Efectivamente había conseguido incorporar un alambre en un bulbo de vidrio en el que se había hecho el vacío y conectar sus dos extremos con los polos de una batería, de forma que brillara y se mantuviera así durante varias horas. Sin embargo, estas primeras lámparas incandescentes tenían muchos inconvenientes y Edison se esforzó en mejorarlas; una de estas era: el calor deshacía finas partículas del filamento, que caían dentro del vidrio y lo oscurecían. En uno de sus numerosos intentos por solucionar este problema, Edison introdujo una placa de metal en la lámpara incandescente con la idea de que esas partículas cayeran en ella. Esto no funcionó, pero le sirvió para descubrir algo muy interesante: si conectaba un instrumento de medida muy preciso a la placa y a los filamentos, el aparato indica una corriente eléctrica muy débil. Esto lo sorprendió porque normalmente la corriente de la batería no era capaz de fluir en el vacío, ni tampoco en el aire.

Una segunda sorpresa: la corriente eléctrica dependía de las conexiones del filamento, es decir, de qué polo de la pila se conectara el instrumento de medida. Solamente cuando conectaba el instrumento de medida con el polo positivo del filamento-pila saltaba el indicador. Edison no sabía qué hacer con esta

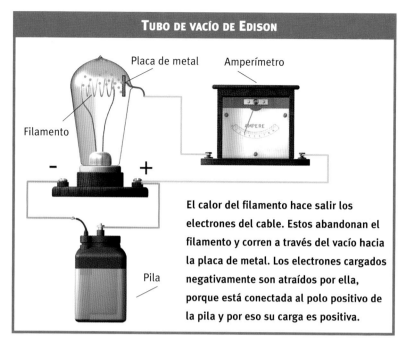

TUBO DE VACÍO DE EDISON

Placa de metal

Amperímetro

Filamento

− +

Pila

El calor del filamento hace salir los electrones del cable. Estos abandonan el filamento y corren a través del vacío hacia la placa de metal. Los electrones cargados negativamente son atraídos por ella, porque está conectada al polo positivo de la pila y por eso su carga es positiva.

ELECTRONES LIBRES

En la naturaleza podemos observar los efectos de los electrones libres. En una tormenta se producen tensiones muy altas en las nubes, de manera que los electrones se abren su propio camino a través del aire en forma de rayos. Además zumban con tal fuerza a través del aire, que en el choque calientan sus moléculas a más de 30 000 °C.

Las auroras boreales se originan por los electrones. Estos provienen del Sol, el campo magnético de la Tierra los capta y los desvía hacia los polos magnéticos. En el aire, que a grandes alturas tiene muy poca densidad, los electrones chocan con moléculas de aire y los hacen brillar, como sucede en un tubo de neón.

observación. En aquel tiempo ni siquiera se sabía de la existencia de los electrones y por ese motivo no pudo interpretarlos. Sin embargo, le pareció importante y lo patentó. Con esto demostró tener buen instinto, puesto que este "efecto Edison" es la base de la válvula electrónica y también los tubos de televisión se basan en él.

Algunos años después, el físico británico Owen Richardson averiguó lo que se escondía tras la observación de Edison: el calor del filamento desplazaba los electrones del metal candente al espacio vacío. Allí podían moverse relativa-

> ¿Qué causa el "efecto Edison"?

mente libres y algunos aterrizaban sobre la placa en la lámpara.

Si Edison unía su pila con el polo que absorbe los electrones, estos serían atraídos y se desplazarían a través del cable y el instrumento de medida. Esto era la corriente eléctrica débil en su experimento.

Como se descubrió, los electrones pueden salir del filamento incluso en grandes cantidades.

Para esto se necesita solamente una pila adicional, cuyo polo suministrador de electrones esté unido con el filamento incandescente, y el otro con la placa. El circuito eléctrico queda entonces cerrado: los electrones abandonan el filamento, corren por el espacio vacío hasta la placa y vuelven entonces a la pila. Al revés no funciona, incluso si se invierte la polaridad de la batería: la placa fría no emite electrones. Una válvula de este tipo es una calle de un solo sentido para los electrones, una válvula eléctrica.

Los rayos son causados por electrones libres (a la izquierda). En las auroras boreales, los electrones y otras partículas eléctricamente cargadas por el Sol activan las moléculas de aire situadas a grandes alturas y hacen que estas emitan luz. Además, cada gas brilla con un color diferente (abajo).

Pronto se descubrió que es todavía mejor colocar alrededor del filamento un tubito de un material que emite electrones. Este tubito recibe el nombre de cátodo. También la placa receptora recibió un nombre: ánodo. Las conexiones por las que fluyen los electrones se llaman generalmente electrodos.

Diodo con dos electrodos: el tubito colocado alrededor del filamento es el cátodo; la lámina circular en el centro, el ánodo.

Telegrafistas trabajando: con estos aparatos se enviaron y recibieron telegramas durante décadas.

¿Cómo se inventó la válvula electrónica?

A principios del siglo XX numerosos físicos e ingenieros electrónicos trabajaron para mejorar el recién inventado teléfono y la telegrafía sin hilos. Estas técnicas funcionan con corriente eléctrica, pero no con componentes electrónicos, puesto que estos entonces todavía no existían.

Estos científicos plantearon ciertos problemas nada fáciles de resolver. Los teléfonos tenían, por ejemplo, micrófonos sencillos, que transformaban las vibraciones acústicas en oscilaciones de corriente eléctrica. Estas podían transportarse por cable y convertirse de nuevo en sonido al llegar al otro interlocutor. Pero cuanto mayor era la distancia entre los interlocutores peor funcionaba esto: el largo cable debilitaba la corriente eléctrica demasiado y no había posibilidad de volver a aumentar los débiles pulsos de corriente eléctrica. El caso de la telegrafía sin hilos era parecido: tampoco aquí se conocía la manera de reforzar las débiles señales radioeléctricas y mejorar su audibilidad.

En 1906, dos investigadores, el estadounidense Lee de Forest y el austriaco Robert von Lieben hallaron la misma válvula de forma independiente: utilizaron el efecto Edison para construir un amplificador de la señal eléctrica débil. Para ello insertaron en el camino de la corriente de electrones entre el cátodo y el ánodo una fina red de alambre que estaba unida a una conexión fuera del tubo.

Conversación con un interlocutor alejado: Este era el aspecto de los teléfonos hacia el año 1900.

¿Cómo funciona una válvula electrónica?

Se puede comparar la rejilla de una válvula electrónica con una celosía, que según la posición deja pasar más o menos luz. Solo que la rejilla no regula la incidencia de la luz, sino la intensidad de la corriente eléctrica entre el cátodo y el ánodo. En lugar de ti-

Radiografía coloreada de un horno de microondas. A la izquierda se ve la cámara para los alimentos; a la derecha, la electrónica para generar las microondas.

MICROONDAS

Las válvulas electrónicas están presentes en muchas cocinas dentro de los hornos de microondas.

Las microondas son ondas radioeléctricas, cuya frecuencia de vibración es mayor que las de radio o televisión. Estas ondas están producidas por un tipo especial de válvula electrónica; el magnetrón. Cuando las microondas alcanzan moléculas de agua las "agitan" rápidamente de un lado a otro y así se produce calor en el interior de los alimentos.

rar de un cordel, aquí se dirige una tensión más o menos grande a la rejilla. Cuanto mayor es, más electrones se acumulan en esta. Debido a que los electrones se repelen mutuamente, los electrones de la rejilla detienen el flujo de electrones en el tubo. Si la tensión eléctrica, por el contrario, es baja, la rejilla tiene pocos electrones y la corriente eléctrica tiene vía libre a través del tubo.

Si la tensión de la rejilla oscila, la corriente eléctrica del ánodo oscila también al mismo ritmo. Lo que resulta interesante es que una pequeña oscilación de la corriente eléctrica en la rejilla produce fuer-

tes oscilaciones de la corriente eléctrica del ánodo. Esta válvula electrónica es un amplificador ideal. Con su ayuda, por ejemplo, en una radio se puede aumentar de tal manera el débil flujo que viene de la antena que sea suficiente para accionar un parlante.

Gracias a las válvulas electrónicas se pudieron construir por primera vez un radio y receptores de radio, potentes transmisores radioeléctricos, amplificadores eléctricos y más tarde aparatos de televisión. Hasta alrededor de 1970 en un televisor había algo más de una docena de ellas.

Dado que los filamentos primero tenían que calentarse, tardaba algún tiempo desde que se encendía el televisor hasta que aparecía la imagen. Todavía hoy, encontramos en emisoras de radio válvulas emisoras de gran potencia: impresionantes cilindros de vidrio de medio metro de alto. Tampoco los transmisores de radar pueden renunciar a las válvulas electrónicas.

ASÍ FUNCIONA UNA VÁLVULA ELECTRÓNICA

Ánodo

Rejilla

Filamento

Pila

1

1. Si la rejilla de una válvula electrónica está conectada con el polo positivo de la pila, los electrones no se acumulan allí, sino que salen inmediatamente. Los electrones libres fluyen sin impedimentos del cátodo al ánodo.

2

2. El polo negativo de la pila bombea electrones a la rejilla. Una vez allí impiden el flujo de la corriente de electrones del cátodo al ánodo. Cuanto más alta es la tensión, más electrones se acumulan en la rejilla, y menos electrones llegan al ánodo.

¿Cómo se crean las imágenes en un televisor?

Entre las válvulas electrónicas encontramos también los tubos de imagen, el físico alemán Karl Ferdinand Braun, en 1907, construiría los primeros. En los tubos de imagen de un televisor en blanco y negro un filamento produce, igual que en la bombilla de Edison, un fuerte haz de electrones que gracias a una tensión eléctrica elevada lanza hacia el ánodo. Este tiene un agujero en el medio, de manera que el haz de electrones puede pasar a través de él a gran velocidad y alcanzar una superficie luminiscente: se trata de una sustancia especial que emite luz cuando los electrones chocan contra ella. Para que el haz cree una imagen, se desvía mediante electroimanes ubicados en la parte externa del tubo y dirigido a altísima velocidad de arriba abajo línea tras línea sobre la superficie luminiscente. Un electrodo de control en el tubo regula constantemente la intensidad del haz de electrones mediante las señales procedentes del transmisor de televisión y con ello la luminosidad de todos los pixeles. Se producen 25 fotogramas seguidas por segundo en la superficie luminiscente.

El tubo de imagen de un televisor de color tiene tres "cañones de electrones": tres filamentos y tres ánodos. La superficie luminiscente de estos tubos está compuesta de tres sustancias luminiscentes distintas, que brillan en rojo, verde y azul, respectivamente. No se mezclan, sino que cada punto de la pantalla se compone de unas manchitas diminutas de cada una de estas tres sustancias. Cerca de la superficie luminiscente hay una máscara perforada con agujeros o ranuras muy pequeñas, que asegura que el haz de electrones de cada cañón solo toque a las diminutas manchas de sustancia luminiscente en un punto de un color particular: un haz de electrones crea solamente las partes rojas de la imagen, el otro las verdes, y un tercero las azules. Con la mezcla de estos colores primarios pueden crearse los demás colores. Con una lupa se distinguen las manchas de color en la pantalla.

TELEVISIÓN DE ALTA DEFINICIÓN

En la televisión actual estándar el haz de electrones crea 25 fotogramas por segundo, cada uno con 625 líneas. Nuestro ojo las mezcla en una imagen animada. En el futuro, los televisores de alta definición producirán con 1000 líneas y los correspondientes pixeles más menudos una imagen especialmente nítida y libre de parpadeo. HDTV son las siglas de High Definition TV, esto es, televisión de alta definición, significa que se puede producir una imagen cuyas unidades sean aún más pequeñas.

Mediante la mezcla de los tres colores primarios rojo, verde y azul se obtienen los demás tonos.

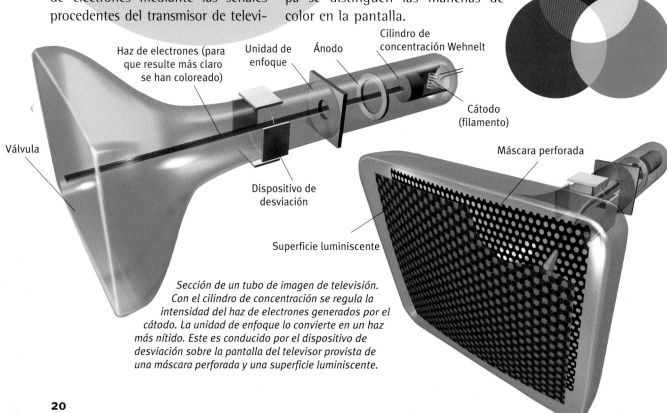

Haz de electrones (para que resulte más claro se han coloreado)

Unidad de enfoque

Ánodo

Cilindro de concentración Wehnelt

Cátodo (filamento)

Válvula

Dispositivo de desviación

Máscara perforada

Superficie luminiscente

Sección de un tubo de imagen de televisión. Con el cilindro de concentración se regula la intensidad del haz de electrones generados por el cátodo. La unidad de enfoque lo convierte en un haz más nítido. Este es conducido por el dispositivo de desviación sobre la pantalla del televisor provista de una máscara perforada y una superficie luminiscente.

La electrónica en la medicina

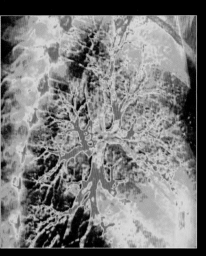

Los bronquios en una radiografía posteriormente coloreada.

LA RADIOGRAFÍA

Cuanto más alta es la tensión entre el cátodo y el ánodo de una válvula electrónica, más rápido se mueven los electrones. Con tensiones muy altas los electrones chocan contra el metal del ánodo con mucha fuerza y de esta forma producen una radiación muy energética, que puede atravesar casi todo tipo de materia. Este hecho fue descubierto en 1895 por el físico Conrad Wilhelm Röntgen nacido en la ciudad de Wurzburgo (Alemania). Desde entonces se puede radiografiar el cuerpo con rayos X para visualizar cuerpos extraños o fracturas óseas sobre una pantalla fluorescente (esto supuso un gran avance para la medicina).

Conjunto de aparatos de rayos X hacia 1920.

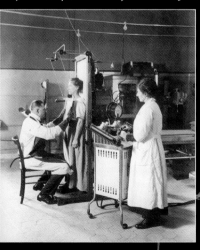

EL ESCÁNER DE TOMOGRAFÍA COMPUTARIZADA

Produce vuna gran cantidad de radiografías del cuerpo desde distintos ángulos. Los rayos atraviesan el cuerpo y una vez allí se debilitan en distinto grado. Varios receptores recogen los rayos. Las señales son conducidas a un potente computador que crea imágenes tridimensionales basadas en esa información. Gracias a esta técnica se pueden observar todos los órganos de forma individual y desde todos los ángulos, destacar con color los posibles cambios o desórdenes funcionales y así reconocer inmediatamente las zonas perjudicadas. Los dispositivos modernos trabajan a tal velocidad, que incluso pueden reproducir con gran nitidez órganos

en movimiento, por ejemplo, un corazón latiendo.

EL ULTRASONIDO

Al contrario que las radiografías, este método de reconocimiento no contamina al cuerpo con radiación. Un aparato de ecografía está compuesto por un generador de sonido, que produce ondas de ultrasonido electrónicamente y las envía al cuerpo a través de la piel (y un gel lubricante).

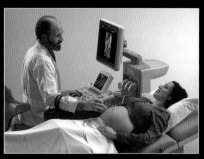

Los órganos devuelven estas ondas con más o menos fuerza. Un detector en el sensor capta los ecos y los envía a un computador que los convierte en una imagen, en la que un experto es capaz de reconocer muchos detalles. Con aparatos especiales pueden examinarse incluso movimientos, por ejemplo, el latido del corazón o el flujo de la sangre en las venas.

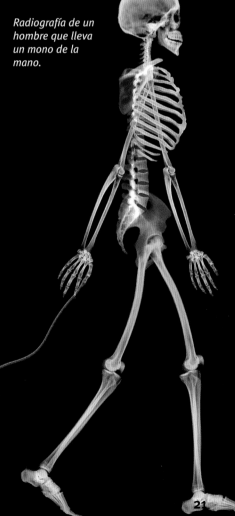

Radiografía de un hombre que lleva un mono de la mano.

Semiconductores, cristales muy versátiles

En la actualidad, los transistores han sustituido a las válvulas electrónicas en muchas aplicaciones. Estos elementos electrónicos son, al igual que las válvulas, muy versátiles y tienen muchos usos, pero no poseen un filamento ni funcionan con tensión eléctrica elevada. En lugar de eso, contienen un cristal de un material muy especial, lo que se conoce como semiconductor.

Estos elementos semiconductores están cada vez más presentes en la electrónica: transistores, celdas solares, letreros luminosos, chips de computador se basan en estos materiales. Se les llama semiconductores porque no conducen la corriente eléctrica tan bien como los conductores (por ejemplo, los metales), pero mucho mejor que los no conductores como la porcelana. De manera que tienen una posición intermedia, pero sobre todo poseen muchas propiedades extraordinarias y prácticas y hasta ahora se conocen una gran variedad de semiconductores.

El primer material semiconductor se descubrió por casualidad, mucho antes que la válvula electrónica. En 1874, el físico Karl Ferdinand Braun se encontró con un misterioso fenómeno. Había estado experimentando con el mineral galena para descubrir si conducía la corriente eléctrica. Para ello colocó dos cables contra el gris y brillante cristal de galena y los conectó a una batería y a un instrumento de medición que señalaba la intensidad de una corriente eléctrica. Y en efecto, la corriente fluyó a través del cristal. Pero para su sorpresa esta conducción de corriente funcionaba solo en una dirección: si intercambiaba las conexiones de la batería, entonces la corriente no fluía. Aparentemente el cristal funcionaba como una válvula eléctrica. Solo dejaba fluir la corriente en un sentido y se lo impedía en el sentido contrario. Nunca antes se había observado algo así.

Braun no pudo explicarse este fenómeno y tendrían que pasar décadas hasta que se llegase a descubrir el secreto de

El físico Karl Ferdinand Braun descubrió el primer semiconductor y desarrolló el predecesor de los tubos de imagen de televisión

El descubrimiento de los semiconductores hizo posibles los microchips, los diodos luminosos, las celdas solares y muchos otros adelantos técnicos.

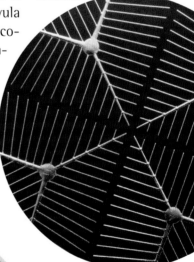

El mineral galena, un compuesto químico de plomo y azufre fue el primer material que se utilizó como semiconductor.

NARICES ARTIFICIALES

Algunos materiales semiconductores (especialmente ciertos compuestos de metal y oxígeno, como el óxido de estaño) reaccionan con una modificación en su conductividad eléctrica, cuando ciertos gases se acumulan sobre su superficie. Otros reaccionan químicamente con el oxígeno del aire. Este fenómeno se emplea para la construcción de equipos de detección de gases. Dependiendo del tipo, pueden utilizarse para detectar distintos gases en cantidades muy pequeñas y en cuestión de segundos. No obstante, para realizar esas mediciones hay que calentar el semiconductor en cuestión, por lo general, a temperaturas de hasta 600 ºC.

este mineral: la galena sería el primer semiconductor conocido.

Durante la Segunda Guerra Mundial, los Estados Unidos gastaron mucho dinero en la investigación de radares, es decir, la detección a grandes distancias de aviones o barcos mediante ondas radioeléctricas. Esto no solo les dio una importante ventaja tecnológica, sino que también condujo directamente al desarrollo de la técnica de los semiconductores.

¿Qué impulsó a investigar de forma intensiva?

En los primeros receptores de radar se utilizaba el efecto válvula de los cristales de galena: Estos podían transformar las ondas radioeléctricas de radar mejor que las antiguas válvulas electrónicas. El problema radicaba en que eran extremadamente inestables. Por este motivo el ejército norteamericano dio encargos de investigación a distintos laboratorios para mejorarlos.

En aquella época apenas se sabía sobre las extrañas cualidades de estos materiales. Solamente unos pocos científicos se habían dedicado a investigar las propiedades eléctricas de los semiconductores, pero una y otra vez los resultados eran inestables y apenas repetibles.

Los millones de dólares que entonces recibió la investigación pronto dieron sus frutos. Entre otras cosas, se halló la solución al problema de la inestabilidad. Se descubrió que las propiedades de los materiales semiconductores dependían mucho de su pureza. Un único átomo extraño en un millón de átomos de un semiconductor modifica sus propiedades eléctricas de una forma completamente asombrosa. También el calor y la luz influyen mucho más que otros materiales.

Pronto los investigadores descubrieron nuevas sustancias con propiedades de semiconductores. En especial, el germanio y silicio resultaron las materias primas más adecuadas para la producción de componentes electrónicos; no obstante, esto sería después de haber aprendido a producirlos de forma pura y sin átomo extraño.

DETECTORES DE RADIO

Alrededor de 1923, los primeros radios funcionaban con semiconductores. No contenían válvulas electrónicas, sino un cristal de galena, una bobina y un condensador graduable para buscar las emisoras, auriculares y una larga antena de cable (las pilas no eran necesarias). Para escuchar el radio, primero había que pinchar en el cristal con un fino alambre metálico para buscar un punto sensible para la recepción. Gracias a estos "detectores de radio", miles de personas pudieron escuchar los primeros programas de radio. Lo que entonces no sabía nadie era que entre el extremo del cable y el cristal se formaba una fina capa de válvula de apenas 100 capas de átomos que hacía fluir los electrones en una sola dirección y de esta manera, hacía audible la señal de radio.

El silicio (a la izquierda) es la sustancia básica de numerosas rocas y por este motivo constituye uno de los componentes principales de la corteza terrestre. La imagen de la derecha arriba muestra una micrografía electrónica de la superficie de un átomo. Muchas piedras preciosas, entre ellas el cuarzo rosa, el cristal de roca, la amatista y la arena común, están constituidas de cuarzo, un compuesto químico de silicio y oxígeno. Un gran número de empresas de electrónica que emplean silicio, sobre todo fabricantes de computadores, se han establecido en una zona cercana a la ciudad californiana de San Francisco: Silicon Valley.

Cristal de roca

¿Qué semiconductores resultaron adecuados?

Pronto pudieron usarse válvulas eléctricas en los receptores de radar, que funcionaban de forma más estable que los antiguos cristales de galena. A estos novedosos componentes se les dio el nombre de diodos, puesto que tenían dos terminales (del griego *dis* = dos). Estaban compuestos de germanio, que era caro pero que resultaba fácil de producir con enorme pureza. Con el tiempo, solo encontramos germanio en componentes especiales. Hoy día, casi todos los diodos, transistores y chips de computador están hechos de silicio.

Como material de partida para la construcción de elementos semiconductores se utilizan grandes cristales de un semiconductor desarrollados con gran esfuerzo y en los que cada uno de los átomos ocupa el lugar correcto. Se rompen en pequeños trozos de cristal y se procesan hasta convertirlos en un solo componente. Además, en los últimos años se han desarrollado numerosos compuestos químicos de ciertos metales y no metales, que poseen propiedades de semiconductores y que se usan en la fabricación de piezas especiales como diodos luminosos.

¿Qué significa "dopar"?

Un material semiconductor completamente puro resulta inadecuado para la producción de elementos electrónicos, como los diodos. Para que este material adquiera las propiedades eléctricas deseadas hay que agregarle átomos extraños. Este proceso se llama dopaje. El silicio puro apenas conduce la corriente eléctrica, puesto que prácticamente todos los electrones están muy sujetos a los átomos de silicio y no pueden desplazarse a través del cristal.

Realización de un cristal de silicio de gran pureza. Después se parte en trozos y se forman chips de computador.

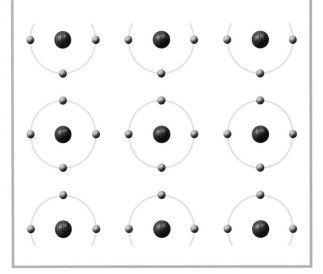

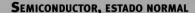

SEMICONDUCTOR, ESTADO NORMAL

Los átomos de un semiconductor están unidos entre sí mediante las fuerzas de enlace de sus electrones externos.

Sin embargo, la conductividad del silicio se puede aumentar mucho si se agregan átomos extraños que entreguen electrones libres en la red del cristal. Estos electrones pueden moverse ahora a través del cristal, es decir, formar una corriente eléctrica. Este tipo de semiconductores dopados se llaman "semiconductores tipo N" (N de "negativo" debido a los electrones adicionales).

Hay una segunda manera de aumentar su conductividad: añadiendo al silicio átomos extraños que posean menos electrones. Estos producen huecos en el compuesto atómico, es decir, lugares en los que faltan electrones. Otros electrones saltan a estos espacios vacíos. Con estos átomos dopados los semiconductores se convierten en semiconductores tipo P (P de "positivo"). Si los electrones son cargas negativas, de la misma manera estos espacios vacíos pueden interpretarse como cargas positivas. Y así como los electrones corren a través del cristal, los huecos pueden desplazarse; también esto es una corriente eléctrica.

Los huecos cambian de lugar en el cristal tan deprisa como los electrones. Cada electrón que salta a un hueco deja tras de sí a su vez otro hueco que es ocupado por otro electrón, y así sucesivamente. Los electrones son tan ágiles que para un

Cada cuadrado en este disco de silicio es un chip de computador. Aquí se prueban todos los chips, con la ayuda de computadores.

proceso de este tipo solo precisan una fracción de una milmillonésima parte de segundo.

LIMPIEZA QUÍMICA

No resulta nada fácil producir silicio de gran pureza para la producción de elementos semiconductores. En primer lugar, el silicio se transforma químicamente en el compuesto líquido triclorosilano que se destila varias veces. Entonces se vuelve a obtener el silicio metálico que ahora es muy puro y de él se obtienen a su vez cristales de hasta dos metros de alto y de una estructura interna perfecta. Las últimas impurezas se eliminan durante este crecimiento.

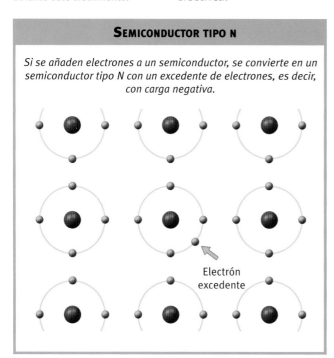

SEMICONDUCTOR TIPO N

Si se añaden electrones a un semiconductor, se convierte en un semiconductor tipo N con un excedente de electrones, es decir, con carga negativa.

Electrón
excedente

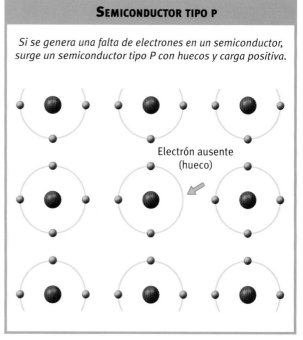

SEMICONDUCTOR TIPO P

Si se genera una falta de electrones en un semiconductor, surge un semiconductor tipo P con huecos y carga positiva.

Electrón ausente
(hueco)

En la actualidad encontramos diodos en todos los aparatos electrónicos, donde desempeñan variadas tareas en su función de válvulas eléctricas. Apenas se les ve porque son diminutos. Sin embargo, hay enormes diodos de potencia para altas tensiones eléctricas. En los automóviles los diodos transforman la corriente alterna producida por la dinamo en corriente continua para cargar la batería.

¿Qué sucede en un diodo?

Si nos fijamos en la carcasa de un diodo, reconoceremos solo un pequeño cristal de material semiconductor y dos terminales de cable. Para entender cómo funciona el diodo, hay que conocer los procesos que tienen lugar en el interior del cristal y pensar que una corriente eléctrica solamente puede fluir cuando hay electrones libres.

Los diodos se componen de un pequeño cristal de material semiconductor tipo N, unido con un cristal de semiconductor tipo P. Así, en un material existe un excedente de electrones, y en el otro una falta de ellos (muchos huecos).

Resultan especialmente importantes los procesos que tienen lugar en la zona donde ambos cristales se tocan. En esta parte, los electrones del semiconductor tipo N ocupan inmediatamente los huecos vecinos del semiconductor tipo P. De esta forma surge una finísima zona aislante, llamada de bloqueo, sin ningún portador de carga: no hay electrones ni huecos. Y por este motivo no puede fluir por ella ninguna corriente eléctrica.

El efecto de esta zona se puede reconocer inmediatamente, si se incluye el diodo en un circuito eléctrico con una bombilla y una pila y se conecta el semiconductor tipo N del diodo, con el polo positivo de la pila.

La zona de bloqueo funciona aquí como un interruptor abierto: no puede fluir corriente eléctrica. Además se hace más grande incluso que en estado de reposo, ya que el polo positivo de la pila absorbe electrones, es decir, sustrae todavía más electrones libres del cristal. El polo negativo arranca huecos de forma similar. La zona sin portadores de carga se hace entonces más grande.

Diodos de silicio. El anillo plateado indica el sentido de conducción en el montaje.

Sin embargo, es muy distinto si el diodo se incluye en el circuito eléctrico al revés. Esto significaría unir el semiconductor tipo N (que entrega electrones) con el polo negativo de la pila y el semiconductor tipo P con el polo positivo. El polo negativo empuja con fuerza los electrones al cristal. El polo positivo absorbe electrones, como un suministrador de huecos "positivos". La antigua zona de bloqueo se inunda ahora por ambos lados de portadores de carga adicionales. De esta forma es capaz de conducir la electricidad, y una fuerte corriente eléctrica fluye a través del diodo.

EL TERMÓMETRO ELECTRÓNICO

Muchos semiconductores conducen la corriente eléctrica mucho mejor si se calientan que en estado frío. Esto se utiliza, por ejemplo, en indicadores de temperatura en estaciones meteorológicas domésticas o en termómetros. Estos miden la intensidad de la corriente que fluye a través del semiconductor y mediante un pequeño chip de computador la convierten en la temperatura correspondiente en grados centígrados o Fahrenheit.

El valor aparece después en una pequeña pantalla y en algunos cómodos aparatos queda grabada para posteriores comparaciones.

Los diodos están presentes en todos los rectificadores que transforman la corriente alterna del enchufe en corriente continua, para aparatos electrónicos.

1 DIODO EN ESTADO DE REPOSO

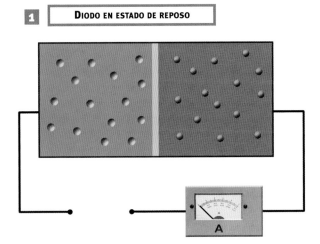

2 DIODO EN CONTRAVÍA DE

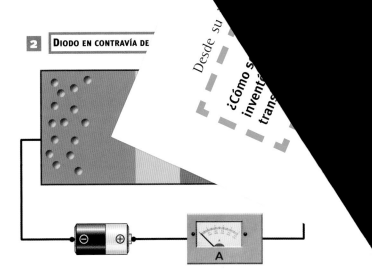

3 DIODO EN LA CONDUCCIÓN

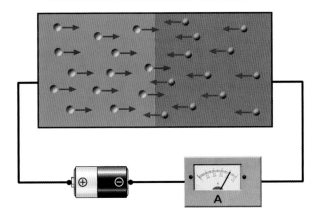

1. Diodo en estado de reposo, es decir, sin conexión a una pila. La zona de bloqueo es fina, pero existe, dado que en ella se han unido electrones libres y huecos vacíos. Por consiguiente, no hay portadores de carga en esta zona.

2. Diodo en contravía de la conducción. El polo positivo de la pila ha atraído a los electrones libres, el polo negativo a los huecos vacíos. La zona de bloqueo es por tanto muy amplia, el diodo bloquea la corriente eléctrica.

3. Diodo en la conducción. El polo negativo de la pila empuja electrones en el diodo e impulsa así los electrones libres a la zona de bloqueo. Lo mismo hace el polo negativo con los huecos. No existe zona de bloqueo, el diodo conduce la corriente eléctrica.

FUNCIONAMIENTO DE UN DIODO

Corriente de agua en el sentido de paso de un diodo. La corriente levanta la trampilla y fluye sin dificultad. En cambio, si el agua intenta pasar a través del dispositivo en sentido contrario, la trampilla permanece cerrada. La instalación funciona como una válvula. De forma parecida podemos imaginarnos también el funcionamiento de un diodo.

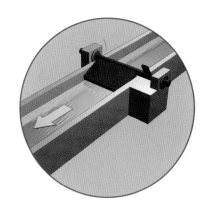

invención, las válvulas electrónicas conquistaron numerosas aplicaciones, sobre todo como amplificador de señales eléctricas, por ejemplo, en aparatos de radio, teléfonos y equipos de parlantes.

Sin embargo, las válvulas presentaban importantes desventajas: consumían mucha electricidad para calentar el filamento, eran muy grandes y además frágiles debido a su envoltura de vidrio. En vista del gran éxito en la producción de diodos funcionales, se tuvo la idea de construir componentes amplificadores eléctricos utilizando cristales semiconductores.

Antiguamente las válvulas controlaban en los televisores de la década de los años 1960 la corriente de desviación para el haz de electrones. Hoy día, los circuitos integrados en escala muy grande (VLSI) con millones de transistores ofrecen en los aparatos una potencia y calidad mayores.

Los tres inventores del transistor: John Bardeen, Walter Brattain y William B. Shockley

Este elemento funcionaría igual que una válvula electrónica y sería, como mínimo, tan versátil como esta, con numerosas ventajas: sería más pequeño, menos frágil y funcionaría sin filamentos consumidores de

corriente eléctrica. Algo muy difícil de realizar.

Finalmente, después de muchos infructuosos intentos, los investigadores William B. Shockley, John Bardeen y Walter Brattain obtendrían un efecto amplificador en un cristal semiconductor.

El 23 de diciembre de 1947 presentaron su nuevo invento: el transistor. Este día se considera la fecha oficial de la invención del transistor. En 1956 recibieron el Premio Nobel de Física por su trabajo.

¿Cómo se fabrican los transistores?

Tuvieron que pasar algunos años desde su invención hasta que fue posible fabricar transistores en masa de la misma calidad a precios asequibles. Sin embargo, a partir de 1958 la escalada triunfal de los pequeños cristales fue imparable y continúa hoy: no

SENSIBLES

Al contrario que las válvulas, los elementos semiconductores son muy sensibles al calor y sobre todo a la tensión eléctrica elevada. Unos pocos voltios de más pueden romper la finísima zona de bloqueo y destruirla. Por este motivo en caso de tormenta hay que proteger especialmente los aparatos electrónicos (es decir, hay que desenchufarlos).

Durante la producción de piezas electrónicas se llevan a cabo continuos controles. Aquí vemos una placa de silicio con numerosos chips, que se conoce con el nombre de oblea.

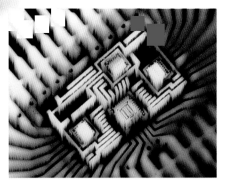

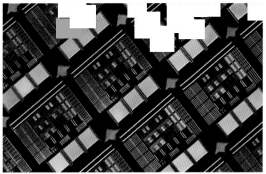

Los circuitos integrados contienen diminutos componentes electrónicos en un espacio muy reducido.

LA MICROELECTRÓNICA

Los primeros circuitos integrados se instalaron en un computador alrededor de 1960, ya que estos aparatos necesitaban innumerables módulos siempre iguales, por ejemplo, como memoria. Un computador de aquel entonces, de bajo rendimiento para nuestros estándares actuales, llenaba varias carcasas del tamaño de un armario. Los potentes computadores actuales fueron posibles gracias a que se consiguió concentrar millones de elementos en un chip del tamaño de una uña.

hay final a la vista. Esto se debe sobre todo a que se pueden construir transistores diminutos. Los cristales de un transistor son más pequeños que un grano de sal.

Se colocan en una carcasa del tamaño de un guisante solo para manejarlos mejor. Sin embargo, en 1958 el estadounidense Jack Kilby tuvo la siguiente idea: en lugar de colocar cada componente electrónico en una carcasa enorme en comparación con su tamaño, instaló muchos cristales de transistor diminutos junto a otros componentes importantes en una carcasa común.

Una estructura para ahorrar espacio como esta recibe el nombre de "circuito eléctrico compuesto" o "circuito integrado". En las últimas décadas, se han desarrollado incluso técnicas para fabricar transistores y

otros elementos electrónicos a millares directamente sobre una diminuta placa de silicio: un chip.

Dado que una mota de polvo de solamente una fracción de milímetro destruiría la delicada estructura, esto se lleva a cabo en una sala blanca, la cual se mantiene minuciosamente libre de polvo: el aire es filtrado constantemente y los trabajadores que operan allí llevan trajes especiales. En la actualidad, se pueden introducir más de mil millones de transistores en un chip del tamaño de una uña.

Existen muchísimos tipos de chips para distintas aplicaciones; los más conocidos son los chips de computador que son los elementos centrales de un computador. Los transistores son hoy los componentes técnicos que el hombre produce en mayor cantidad. Se calcula que se producen más de 100 000 billones de transistores al año, cifra que incluyen no solo los transistores individuales, sino también los muchos millones de transistores presentes en cada chip de computador.

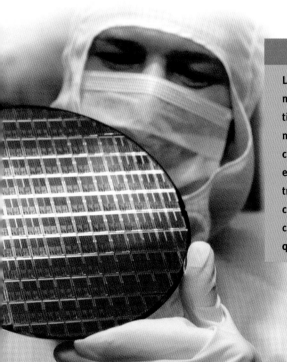

TRANSISTOR DE UN ELECTRÓN

Los transistores convencionales empujan al cerrarse el circuito siempre miles de electrones de un lado a otro. Esto requiere bastante potencia y tiempo. Por este motivo, se trabaja en transistores que necesiten muchos menos electrones. La imagen es una ampliación muy grande de un transistor de un único electrón. Este posee como otros transistores tres terminales, pero puede abrirse y cerrarse con un solo electrón. En un chip de computador caben muchos miles de millones de estas pequeñas estructuras.

Todo transistor está compuesto de tres cristales semiconductores unidos entre sí. Dos de ellos son del mismo material semiconductor (material P y N, respectivamente) y tienen cada uno un cable de conexión. Reciben el nombre de emisor y colector. Estos dos cristales rodean un finísimo disco de un material de otra clase, que se llama base y que a su vez posee otro cable de conexión.

Hay por tanto transistores PNP y transistores NPN. Los más utilizados son los transistores NPN de silicio; por eso los tomaremos aquí como ejemplo. La forma de construcción similar a la de un sándwich hace que un transistor contenga dos zonas de bloqueo. Una está entre el emisor y la base, la otra entre la base y el colector.

Podemos imaginarnos un transistor aproximadamente como dos diodos unidos entre sí. No obstante, están unidos en sentido contrario, como dos calles de sentido único que llevan la una a la otra: se puede salir, pero no se puede atravesar por el medio desde ninguna de las dos direcciones, una de las barreras está siempre cerrada.

Se puede colocar un transistor NPN en un circuito eléctrico y conectar el emisor con el polo negativo de una pila y el colector con el polo positivo. Pero aun así no fluiría corriente eléctrica: el circuito eléctrico se interrumpiría en el transistor. Es cierto que la zona de transición entre el emisor y la base es permeable, pero la zona entre la base y el colector está cerrada.

Sin embargo, la base es extremadamente fina. El recorrido abierto emisor-base y la zona de bloqueo entre base y colector están separados entre sí por solamente una fracción de milímetro. Y aquí viene el truco con el que funciona el transistor: se construye un segundo circuito eléctrico, cuya corriente eléctrica ingresa en el transistor a través del emisor, pero no sale por la terminal del colector, sino a través de la terminal de la base. Esta corriente eléctrica puede ser muy débil y su intensidad puede regularse cómodamente en la terminal de la base.

Algunos electrones de esta corriente de control se adentran –desde atrás, por decirlo así– en la zona de bloqueo entre la base y el colector. Solamente tienen que cubrir una distancia muy pequeña, porque la base es muy fina. Pero esto tiene consecuencias: los electrones invasores neutralizan en parte el efecto de bloqueo. Por tanto, ahora puede fluir una fuerte corriente eléctrica a través del circuito entre emisor y colector.

Lo potente que sea esta corriente eléctrica del colector depende, sobre todo, de la potencia de la corriente eléctrica de la base. Pequeñas oscilaciones en la corriente de la base provocan que la corriente en el colector oscile mucho más fuerte. Si, por ejemplo, se dirigen a la base las débiles corrientes producidas en un micrófono al ritmo del habla, estas producen fuertes oscilaciones de corriente eléctrica en la corriente de colector: el transistor amplifica.

Instalación simultánea de 158 chips como memoria del computador en una oblea.

EL TRANSISTOR DE EFECTO DE CAMPO es un tipo muy extendido. Sin embargo, funciona de manera distinta a los transistores convencionales. Podemos imaginarnos su funcionamiento tomando como modelo una manguera de riego: en una manguera podemos regular el flujo del agua presionándola en un punto, sin tener que tocar el agua; en un transistor de efecto de campo se puede controlar el flujo de corriente eléctrica con una tensión eléctrica débil. No es necesario entonces que fluya prácticamente ninguna corriente de control, lo que hace a los transistores de efecto de campo muy apropiados para determinados fines.

Un transistor con sus tres terminales: emisor, base y colector.

TRANSISTOR NPN

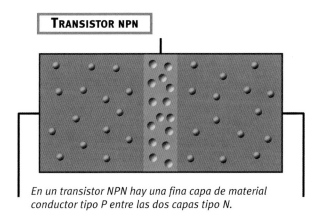

En un transistor NPN hay una fina capa de material conductor tipo P entre las dos capas tipo N.

TRANSISTOR PNP

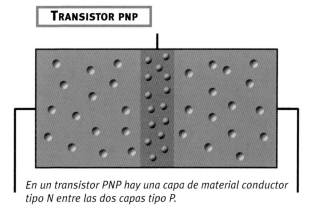

En un transistor PNP hay una capa de material conductor tipo N entre las dos capas tipo P.

SIN ELECTRICIDAD

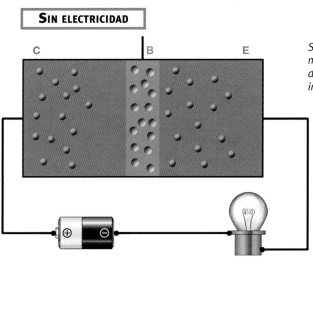

Si en la base de un transistor no fluye ninguna corriente, se mantiene la zona de bloqueo y el transistor actúa como un interruptor abierto.

CON ELECTRICIDAD

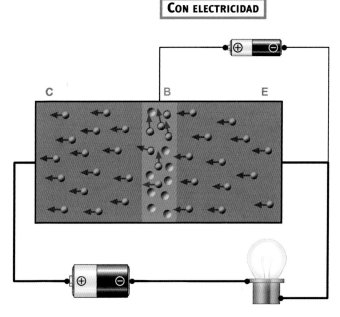

Si en la base (B) de un transistor fluye una corriente, la zona de bloqueo disminuye y el flujo de electrones fluye del emisor (E) al colector (C).

FUNCIONAMIENTO DE UN TRANSISTOR

Modelo de canal de agua de un transistor: una corriente de agua débil en el canal estrecho abre la pequeña trampilla con más o menos amplitud. Esta a su vez regula la trampilla en el canal grande y de esta forma el fuerte flujo de agua dentro de él.

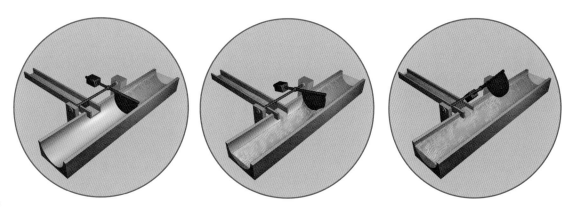

31

Chips de computador, millones de transistores en un espacio reducido

Hormiga con un chip de computador sobre una placa de circuitos impresos.

ELECTRÓNICA DIGITAL es el área de la electrónica que se ocupa del procesamiento de las señales digitales. A ella pertenecen, sobre todo, los computadores, pero también aparatos de televisión digitales, grabadoras de CD y DVD, controles de máquinas en fábricas, en el hogar, en automóviles, barcos y aviones. Una ventaja especial de la técnica digital: los componentes electrónicos pueden solucionar muchas y complejas tareas eficazmente y en muy poco tiempo.

¿Qué significa "digital"?

"Digital" es la palabra mágica de nuestro tiempo. La encontramos en expresiones como "televisión digital", "electrónica digital" o "reloj digital". Tomemos como ejemplo "reloj digital" para explicar el significado de esta palabra.

En un reloj tradicional de agujas móviles no se producen saltos: Las agujas marchan lenta, pero continuamente sobre la esfera. El reloj digital es distinto: muestra la hora directamente en cifras. Lo que se ve en la pantalla cambia de segundo a segundo o de minuto a minuto. Por ejemplo, primero las cifras muestran 5:48 horas y un minuto después saltan directamente a las 5:49 horas. El reloj digital divide el constante paso del tiempo en saltos separados y contables, como si los segundos se contaran con los dedos. La palabra "digital" procede del latín *digitus*: "dedo". Entre estos saltos no hay nada.

También los computadores trabajan en su interior de forma digital. Los millones de transistores en los chips solo se accionan en dos estados posibles: conducen la corriente eléctrica completamente o en absoluto. Solo saltan entre ambos valores de uno al otro.

En un reloj analógico, las agujas son accionadas por pequeñas ruedas; la pantalla de un reloj digital se controla por componentes electrónicos.

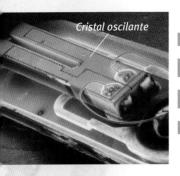

Cristal oscilante

EL RELOJ DE CUARZO

En un reloj de cuarzo también se calcula. Este contiene un cristal de mineral de cuarzo con un pulido especial, que gracias a su forma vibra solamente con una frecuencia muy concreta y que mantiene esta frecuencia de manera precisa. Lo normal son 32 768 vibraciones por segundo, las cuales se traducen en impulsos eléctricos y un chip los convierte en exactamente un pulso por segundo. Los impulsos eléctricos accionan un diminuto motor eléctrico que mueve las agujas o una pantalla que muestra cifras directamente.

¿Qué es el sistema binario?

Estamos acostumbrados a contar con las cifras del 0 al 9 del sistema decimal. Sin embargo, también se pude contar y calcular solo con dos cifras. Esto lo descubrió el filósofo Gottfried Wilhelm Leibniz hace ya 300 años, mucho tiempo antes de la era de los computadores. Leibniz desarrolló un sistema numérico, los dígitos binarios, que solo necesita dos cifras: 0 y 1. Cualquier número puede representarse con estos dígitos binarios y también pueden hacerse cálculos de forma normal. El número 8, por ejemplo, se escribe "1000"; el 14, "1110", el número 1000, "1111101000".

¿Cómo funciona un computador con dígitos binarios?

Todos nuestros computadores utilizan en su interior estos dígitos binarios. Lo hacen con la ayuda de sus transistores: si un transistor no está conduciendo, significa el "0", si lo hace, presenta la cifra binaria "1".

Si se colocan transistores unos junto a otros en filas, pueden almacenar también esas cifras. Si se tienen cuatro transistores en una de estas filas y el primero conduce corriente eléctrica ("1"), pero los otros tres no ("0") juntos presentan el numeral binario "1000", en sistema decimal el 8. En los chips de memoria de los computadores hay muchos millones de estos transistores.

Además existen circuitos eléctricos especiales con muchos transistores, que pueden calcular con dígitos binarios a gran velocidad.

Los textos pueden transcribirse con dígitos binarios. Para ello, los expertos en informática se pusieron de acuerdo en un código común, que hoy utilizan todos los computadores: el código "ASCII-Code". En él se asigna a cada letra y signo de puntuación un dígito binario concreto. Así, por ejemplo, la letra A en el código ASCII se representa mediante la serie de números "1000001".

DÍGITOS BINARIOS

Los computadores trabajan solo con las cifras 0 y 1, y con ellas pueden representarse los números del sistema decimal. A la izquierda hay una lista de los primeros dígitos binarios. También la información de las imágenes está grabada en los computadores en forma de ceros y unos solamente. Si se quieren procesar y representar textos mediante dígitos binarios, hay que ponerse de acuerdo en un código, el llamado código ASCII, desarrollado con este objetivo. Este código asigna a cada cifra, signo de puntuación y carácter numérico un número de siete cifras. Este código ASCII ha ido ampliándose, por ejemplo, mediante el estándar Unicode de codificación de caracteres, para incluir también caracteres especiales de las diversas lenguas.

1 = 1							
2 = 10							
3 = 11							
4 = 100							
5 = 101							
6 = 110							
7 = 111							
8 = 1000							
9 = 1001							
10 = 1010							
11 = 1011	A 1000001	H 1001000	N 1001110	U 1010101			
12 = 1100	B 1000010	I 1001001	O 1001111	V 1010101			
13 = 1101	C 1000011	J 1001010	P 1010000	W 1010111			
14 = 1110	D 1000100	K 1001011	Q 1010001	X 1011000			
15 = 1111	E 1000101	L 1001100	R 1010010	Y 1011001			
16 = 10000	F 1000110	M 1001101	S 1010011	Z 1011010			
	G 1000111		T 1010100				

Un disco de vinilo almacena el sonido en forma de surcos helicoidales cuya desviación y profundidad corresponden a la intensidad sonora. Durante su reproducción, una aguja recorre los surcos y estas desviaciones la hacen vibrar. Estas vibraciones así producidas corresponden a las vibraciones acústicas, amplificadas eléctricamente que llegan al parlante.

Un CD (disco compacto), en cambio, almacena la música de una forma distinta, esto es, de forma digital. La grabadora mide la potencia de la corriente eléctrica suministrada por el micrófono alrededor de 44 000 veces por segundo. Todas las mediciones son transformadas en valores de dígitos binarios, incluido el tiempo desde el comienzo de la grabación. Ambos valores se representan por una secuencia de ceros y unos.

La secuencia de cifras se graba en el CD, en forma de cadena de agujeritos, que solo pueden reconocerse bajo el microscopio. Durante la reproducción, un rayo de luz láser lee estos agujeros. Como resultado surgen una serie de destellos, según el rayo toque en ese momento un agujero o no. Estos destellos son captados por un fotodiodo que los transforma en una sucesión de impulsos eléctricos. Aquí tampoco existen valores intermedios: o fluye corriente o no. Los impulsos eléctricos alcanzan finalmente un chip especial que produce corriente alterna a partir de las secuencias numéricas a gran velocidad con la misma frecuencia de vibración que la del sonido percibido el cual se amplifica y dirige al parlante o a los auriculares.

Un DVD almacena la información como una sucesión de agujeros diminutos, en este caso más juntos unos de otros que en un CD. Para leerlos se emplea un láser con una longitud de onda de luz más corta, más fácil de enfocar. En algunos DVD ambas superficies son legibles y pueden contener más información.

LAS TARJETAS INTELIGENTES son de plástico y llevan incrustados chips de computador muy pequeños. Son computadores diminutos, solo que no tienen suministro de corriente ni pantalla; de esto se encargan los lectores de tarjeta. Gracias a la potencia del chip es posible un cifrado de datos eficiente, de manera que pueden guardarse datos secretos. Por esto se utilizan como tarjeta telefónica o monedero para pagar pequeñas sumas de dinero. Como una tarjeta SIM de celular almacenan los datos personales de su propietario o sirven como documento de identificación infalsificable.

Un preciso rayo láser incide sobre un CD o DVD. Los pulsos de luz reflejados penetran en un detector que los transforma en señales eléctricas.

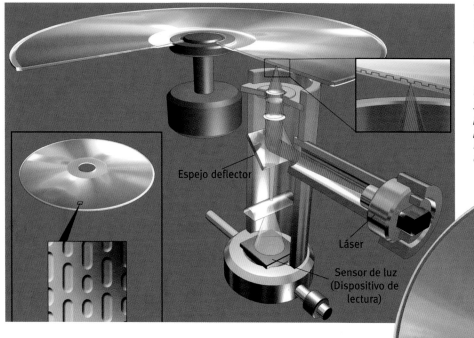

Espejo deflector

Láser

Sensor de luz (Dispositivo de lectura)

Electrones y luz: cristales luminosos

FOTOSÍNTESIS

La interacción de electrones y fotones no es un invento del humano, sino de la naturaleza desde hace miles de millones de años. La fotosíntesis, la captación de la luz solar por las plantas verdes, funciona mediante una interacción de los fotones de la luz solar con los electrones en las moléculas de las hojas verdes. Y que podamos ver según los cambios que los fotones provocan en los electrones en determinadas moléculas de la retina del ojo.

¿Qué relación hay entre los semiconductores y la luz?

En el primer periodo de la investigación de los semiconductores se tuvo numerosos problemas con estos materiales, que fueron solucionándose poco a poco. Durante este proceso se hacían una y otra vez observaciones inesperadas. Una de ellas fue que la conductividad eléctrica de los semiconductores dependía, entre otras cosas, de lo intensamente que estuvieran iluminados. Cuando se descubrió la causa de este comportamiento, surgieron una gran cantidad de componentes novedosos y muy prácticos.

Cuando las farolas de la calle se encienden por sí solas al atardecer, cuando la cámara fotográfica detecta la luz que hay y el televisor qué tecla del control remoto hemos pulsado, cuando una puerta se abre como por arte de magia, una celda solar convierte la luz solar en corriente eléctrica o cuando una cámara digital toma fotografías, siempre están presentes semiconductores que reaccionan a la luz.

En los últimos años se han desarrollado componentes semiconductores, que pueden emitir luz cuando poseen corriente eléctrica. A ellos les debemos los pequeños diodos luminosos de color o blancos, que en los aparatos electrónicos nos indican si estos están funcionando o no, o que brillan en las linternas modernas y por último y no menos importante, las pantallas planas de los computadores y los televisores, que pueden colgarse en la pared como si de un cuadro se tratase.

La optoelectrónica, la rama de la electrónica que se ocupa de estos componentes, ha experimentado en los últimos años un considerable y rápido desarrollo.

Todos disfrutamos de la interacción de los electrones, portadores de corriente eléctrica, con los fotones, las pequeñas partículas que constituyen la luz.

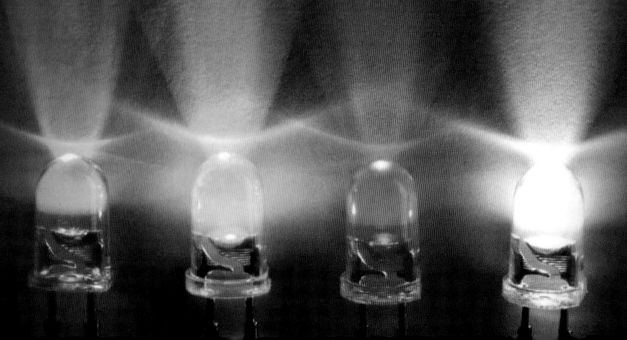

Los diodos luminosos producen luz gracias a los cristales semiconductores.

¿Cómo reaccionan los semiconductores a la luz?

Los diodos especialmente sensibles a la luz reciben el nombre de fotodiodos. Estos poseen, igual que los diodos normales, una zona de un material semiconductor tipo N y otra de un material semiconductor tipo P. Sin embargo, la capa de transición entre ambas zonas ofrece a la luz procedente del exterior una superficie lo más grande posible. Y para que la luz también penetre mejor, la carcasa es transparente y suele contener incluso una pequeña lente.

En la oscuridad, un fotodiodo de este tipo, conectado en sentido contrario, ejerce una gran resistencia para la corriente eléctrica, pues se forma una zona de bloqueo impenetrable, en la que los electrones se sujetan fuertemente a sus átomos. Cuando la luz llega a la zona de bloqueo, aparecen electrones libres. La energía de la luz hace que se suelten de los átomos. Simultáneamente surgen huecos vacíos en las zonas que ocupaban antes. Los electrones libres y los huecos hacen que la zona de bloqueo conduzca la electricidad a través del diodo. De esta manera, un interruptor sensible a la luz enciende, en el momento indicado, el alumbrado público.

¿Cómo funcionan los sensores de movimiento?

No toda la luz es visible, sino que también existen otros tipos de luz a los que nuestros ojos no reaccionan. Todos los objetos calientes emiten luz infrarroja que no vemos, solo la sentimos en forma de calor cuando es muy intensa. Los fotodiodos sí la detectan.

Algunas lámparas contienen estos fotodiodos. Para evitar que no reaccionen al calentamiento del ambiente debido a los rayos solares, se construye un pequeño equipo electrónico que solo transmite cambios rápidos de la radiación infrarroja, por ejemplo, cuando se acerca una persona. En ese momento se enciende la lámpara. De forma parecida funcionan muchos sistemas de alarma que detectan la radiación infrarroja de un ladrón, o extienden una red invisible de rayos infrarrojos a través de la habitación y activan la alarma cuando un intruso interrumpe un rayo de luz.

Una barrera fotoeléctrica funciona de forma distinta; por ejemplo, en una escalera mecánica el transeúnte interrumpe un rayo de luz, y la luz interrumpida de repente es la señal para el mecanismo electrónico que inicia la puesta en marcha del motor de la escalera mecánica.

ASÍ FUNCIONA UN FOTODIODO

Un fotodiodo se acciona en sentido contrario. Posee una zona de bloqueo clara sin portadores de carga. Si la luz incide en la zona de agotamiento, libera allí portadores de carga. Cuanta más luz incide, más fuerte es la corriente que fluye. El fotodiodo está construido de manera que la luz incidente cubra muy bien la zona de bloqueo.

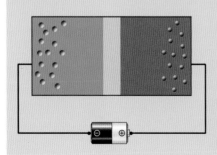

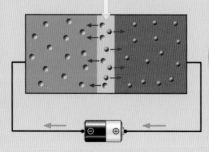

Fotodiodo

Imagen coloreada con una cámara de infrarrojos.

Con una cámara Camcorder cualquiera puede filmar. Después las películas pueden mejorarse por computador.

EL TERMÓMETRO

PARA EL OÍDO aprovecha el hecho de que la temperatura del tímpano es un buen indicador de la temperatura interna del cuerpo. El tímpano emite radiación infrarroja cuyo tipo depende de la temperatura. Los termómetros de oído contienen pilas termoeléctricas, que miden esta radiación con precisión. Así, es posible hacer una medida desde el exterior casi sin tocar el oído, incluso en bebés dormidos. Un pequeño chip la convierte en grados centígrados, almacena el valor y lo muestra.

Hoy las cámaras digitales han desplazado en gran medida a las cámaras antiguas que funcionan con película fotográfica. En las cámaras digitales se pueden ver las fotografías inmediatamente después de tomarlas. Además, con un computador se pueden modificar e incluso imprimir en papel.

Cámaras digitales sin película fotográfica

Una cámara digital toma fotografías con un componente semiconductor fotosensible, un "chip CCD" (Charge Coupled Device, que significa "dispositivo de carga acoplada"). Los chips CCD reaccionan de manera mucho más sensible a la luz que una película fotográfica.

Un chip CCD, de unos pocos milímetros cuadrados, contiene varios millones de puntos de imagen: los pixeles.

Como sucede en los fotodiodos, la luz incidente libera electrones de los átomos del material semiconductor. Pero estos no salen, sino que de momento se quedan en el pixel. Cuanta más luz incide en este, más electrones acumula. Tras la exposición, la cámara mide rápidamente la carga de cada pixel y convierte los resultados en valores numéricos. De esto se ocupa un chip, que funciona como un computador en la cámara. Finalmente, los valores numéricos se almacenan por separado en cada pixel.

En una Camcorder –una videocámara digital con un dispositivo de almacenamiento de imagen– chips CCD similares captan la imagen. Aquí grabación, reproducción y almacenamiento suceden de forma rápida, pues las películas de video se graban con alrededor de 25 fotogramas por segundo.

Las cámaras digitales toman imágenes con un chip CCD (arriba a la derecha), también incluido en celulares; las imágenes pueden enviarse inmediatamente.

¿Cómo producen corriente las celdas solares?

En un principio, las celdas solares abastecían de corriente eléctrica solo a los satélites. Hoy encontramos superficies de brillo azul en muchos tejados y fachadas que producen corriente eléctrica a partir de la luz solar. Aquí entran en juego los semiconductores: el material de brillo azul está compuesto de unas finas capas de cristales de silicio.

Al incidir la luz sobre la celda, esta libera de su enlace a algunos de los electrones que antes estaban sujetos a su átomo. Los electrones liberados se desplazan entonces a través del cristal y lo mismo hacen los huecos vacíos que antes ocupaban estos. Las celdas solares están construidas de tal manera que los electrones y los huecos se separan rápidamente unos de los otros. Los electrones se acumulan en una zona, los huecos en otra. Así surge una zona cargada negativamente y otra positivamente, como en una pila. Al conectar estas zonas, fluye la corriente.

En la actualidad las celdas solares son caras, puesto que contienen gran cantidad de silicio puro. En numerosos laboratorios se

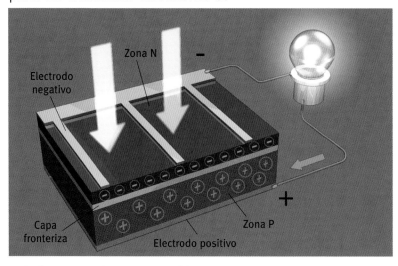

trabaja para mejorar estas celdas con otros materiales semiconductores lo más barato posible. Se espera que en algunos años haya enormes superficies de celdas solares a precios económicos en tejados, fachadas y en zonas desérticas sin aprovechar, que produzcan corriente eléctrica de forma ecológica –utilizando luz del sol– gratuita.

A pesar de su elevado precio, las celdas solares cubren numerosos tejados. Abajo una celda solar redonda; arriba una ampliación de los contactos eléctricos.

Los primeros modelos de televisores eran aparatos de gran volumen con una calidad muy limitada.

LAS PANTALLAS DE PLASMA también son planas pero funcionan de una manera muy distinta a las pantallas LCD. También contienen millones de celdas individuales conmutables, pero cada una de estas celdas trabaja como un diminuto tubo fluorescente y genera luz ultravioleta con la corriente eléctrica. El material fluorescente la transforma en luz roja, verde y azul. Tres de estas celdas pasan a formar un pixel.

Técnicas modernas para pantallas planas grandes de televisión:

¿Cómo funcionan las pantallas planas?

Pantallas a color en teléfonos celulares, reproductores de CD y juegos de video portátiles, monitores de computador ligeros, televisores planos con una gran superficie iluminada: las pantallas planas reemplazan cada vez más a los voluminosos tubos de imagen. No es de extrañar: cuidan los ojos con una imagen brillante y sin parpadeo, necesitan menos energía que un tubo de imagen y poseen por lo menos una vida útil más larga.

Debemos su existencia a la colaboración entre dos áreas tecnológicas: la electrónica y la química. En el núcleo de estas pantallas se encuentran sustancias químicas: los llamados cristales líquidos. En inglés se les conoce como "Liquid Crystal Display" ("pantallas de cristal líquido"); con las siglas LCD también se conocen las pantallas sencillas, por ejemplo, de relojes LCD.

Tales cristales líquidos tienen una propiedad inusual: si se exponen a una débil corriente eléctrica, su permeabilidad a la luz cambia.

Cada uno de los millones de pixeles en la pantalla de un televisor de pantalla plana es una combinación de tres diminutas celdas. Cada uno de ellos está lleno de un material de cristal líquido, y cada uno lleva dos pequeños electrodos para el suministro de corriente eléctrica. Una de estas celdas es responsable de la luz roja, la segunda de la luz verde y la tercera de la luz azul; a partir de estos tres "colores primarios" se pueden producir el resto de colores mediante su mezcla.

Si se ilumina a la pantalla desde atrás con luz blanca, se puede regular fácilmente el brillo de cada una de las celdas en cada pixel mediante el suministro de una tensión eléctrica baja o alta a través de las terminales, y así se genera una imagen en color.

Aun tratándose de un principio sencillo, en la práctica requiere un cierto esfuerzo, pues una imagen de televisión se compone de 25 fotogramas por segundo. Esto significa que cada una de las millones de celdas tiene que recibir su señal eléctrica especial 25 veces por segundo.

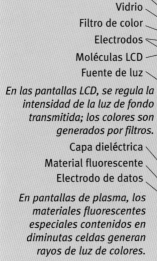

Superficie deflectora
Vidrio
Filtro de color
Electrodos
Moléculas LCD
Fuente de luz

En las pantallas LCD, se regula la intensidad de la luz de fondo transmitida; los colores son generados por filtros.

Capa dieléctrica
Material fluorescente
Electrodo de datos

En pantallas de plasma, los materiales fluorescentes especiales contenidos en diminutas celdas generan rayos de luz de colores.

Diodos luminosos

Los pequeños componentes emisores de luz, que parpadean en nuestras alarmas, han sido muy exitosos los últimos años. **DIODOS LUMINOSOS** Gracias a la investigación se encuentran nuevas aplicaciones. En casi todos los aparatos electrónicos indican si están funcionando o si, por el contrario, están apagados. En forma de barras de luz presentan cifras o caracteres, por ejemplo, en un radiodespertador y desde la parte de atrás ilumi-

Un pequeño cristal semiconductor en la carcasa de plástico del LED genera la luz

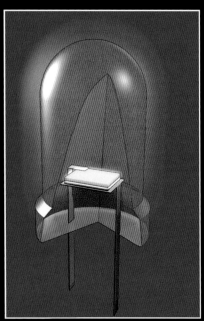

nan las pantallas de celulares y las pantallas planas y brillan en los reflectores de los automóviles con una luz roja cegadora. Los diodos luminosos blancos son tan brillantes, que se utilizan en linternas y en las luces de los autos. Probablemente en pocos años sustituirán a las bombillas, ya que son más económicas y duran más tiempo.

Un diodo emisor de luz (abreviado LED: "Light Emitting Diode") produce una luz **FUNCIONAMIENTO** diferente a la de una bombilla. En ella un alambre se calienta tanto que brilla y emite luz. Por el contrario, en el diodo luminoso la luz se forma en un cristal semiconductor, sin gran aumento de temperatura.
Si se manda corriente eléctrica a través de ese cristal, este produce muchos electrones libres y huecos vacíos. Muchos de estos electrones libres ocupan rápidamente estos huecos. Los electrones libres poseen una cantidad de energía relativamente grande. Cuando se "asientan" en un hueco, entregan esta energía en forma de luz. Cuanto más fuerte es la corriente en el cristal, más electrones se liberan, y más fuerte es la luz que produce el diodo.

Un alambre incandescente emite todos los colores, que en el ojo se mezclan y se convierten en blanco. Si los electrones entregan energía, lo hacen **COLORES** siempre solo en determinados "paquetes de energía". De ahí que surja también siempre luz de un color determinado. Este color depende del material semiconductor y de determinados aditivos químicos. En los diodos de silicio normales esta luz es invisible, pues se encuentra en el rango infrarrojo. Encontramos estos diodos en los mecanismos de alarma o los controles remoto de los televisores. Para los diodos que brillan con luz de color rojo, amarillo o azul se eligen materiales semiconductores que puedan producir luz visible.
Para los diodos luminosos blancos de las lámparas se utilizan cristales de materiales semiconductores que producen luz ultravioleta (invisible). Estos cristales se rodean con una capa de material fluorescente. Esta sustancia química especial puede transformar la luz ultravioleta en luz visible, y al elegir un material fluorescente apropiado se pueden producir además del blanco todos los demás colores.

En la red de fibra óptica enormes cantidades de datos se mueven a gran velocidad en forma de impulsos luminosos de **RED DE FIBRA ÓPTICA** un lugar a otro. Son emitidos por diodos de láser, que son una forma especial de diodos lumi-

nosos, que emiten una luz muy fuerte en uno o varios colores determinados. En reproductores de CD o DVD estos diodos láser registran los discos plateados brillantes. Los oradores los usan en punteros láser como indicadores visuales. Y los diodos de láser especiales de alta intensidad pueden ser incluso utilizados para el tratamiento de materiales como la perforación con luz.

LOS RATONES ÓPTICOS

Reemplazan cada vez más a los de computador porque funcionan sobre cualquier superficie y son menos sensibles al polvo. Un pequeño diodo luminoso envía luz roja hacia abajo. Un chip fotosensible captura los reflejos del fondo y envía los datos medidos a un chip de computador dentro del ratón. Este evalúa las señales varios cientos de veces por segundo y puede detectar a qué velocidad y en qué dirección cambia la señal. Esta información se envía después al computador que luego controla el puntero del ratón.

LOS ESCÁNERES

Los escáneres de registradora leen el código de barras de muchos productos. En él se encuentra almacenado un código. Mientras que la cajera pasa el producto por encima del escáner, finos rayos de luz rojos provenientes de un diodo láser registran rápidamente su superficie. Si encuentran un patrón de código de barras, se deslizan sobre este y fotodiodos miden el brillo de la luz reflejada. A partir de la secuencia de valores claros oscuros la caja reconoce el código. El computador de la tienda lo utiliza para consultar informaciones de la lista de productos en su memoria. De este modo se determina el tipo de mercan-

cía y su precio y se comunica a la caja. Incluso podría accionarse una alarma en el caso de que las existencias de este producto estén a punto de agotarse.

LAS PANTALLAS GIGANTES

Se componen de miles de diodos luminosos y pueden llegar a tener un tamaño de hasta 20 m, se utilizan en superficies publicitarias y como pantallas en los estadios. A diferencia de los televisores convencionales, las imágenes y películas se pueden apreciar incluso a la luz del día gracias a los LED de alta luminosidad. Cada pixel está formado por un LED rojo, azul y verde respectivamente; de estos colores básicos se obtienen todos los colores. En pantallas gigantes incluso grupos de LED forman un pixel respectivamente. Un sistema electrónico garantiza que cada LED brille en el momento preciso y con la intensidad necesaria.

Los OLED generan luz de cualquier color en finísimas capas de semiconductores.

OLED

Los diodos luminosos orgánicos (OLED) son finísimos componentes emisores de luz que sirven para fabricar pantallas planas y flexibles. Sus varias capas en conjunto tienen un grosor de una fracción de milímetro. El ánodo y el cátodo sirven para guiar la corriente eléctrica. Están ubicados sobre capas de semiconductores dopados de tipo P y tipo N. En el centro hay una capa que contiene colorantes especiales. Cuando fluye la corriente eléctrica, electrones y huecos se unen como sucede en los diodos luminosos, y los colorantes transforman la energía liberada en luz del color correspondiente.

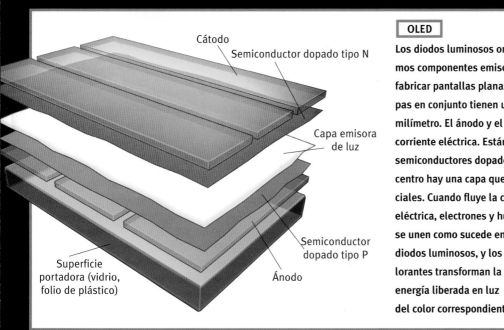

Cátodo
Semiconductor dopado tipo N
Capa emisora de luz
Semiconductor dopado tipo P
Ánodo
Superficie portadora (vidrio, folio de plástico)

La información viaja por el aire

¿Qué son las ondas radioeléctricas?

La rapidez con la que se pueden mover los electrones es impresionante. Con los componentes electrónicos adecuados pueden transportarse en un cable de un lado a otro miles de millones de veces por segundo. En 1886, en Karlsruhe, el físico alemán Heinrich Hertz descubrió que algo extraño sucedía en este caso: la oscilación de los electrones en el cable provocaba una propagación de ondas invisibles (como las ondas que produce una piedra al caer dentro del agua). Mientras que las ondas se mueven lentamente sobre la superficie del agua, las ondas producidas por el cable viajan a la velocidad de la luz, (unos 300 000 km/s). Esto significa que dan la vuelta a la Tierra más de siete veces en un segundo (para llegar a la Luna solo necesitan 1 s).

Cuando chocan con otros electrones móviles, (en un cable a gran distancia), los hacen vibrar y adoptar exactamente la misma frecuencia.

Las antenas de transmisión emiten ondas radioeléctricas que se propagan a la velocidad de la luz.

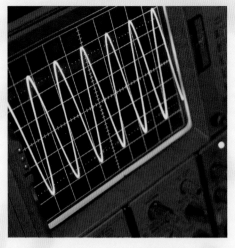

Con aparatos especiales (oscilógrafos) es posible visualizar las vibraciones.

La radio, la televisión, los celulares, los radares y otros adelantos técnicos se basan en este principio. A estas ondas se las conoce como "ondas radioeléctricas". En todos los casos mediante el uso de ciertos componentes electrónicos se generan vibraciones en los electrones de un cable (la antena de emisión) que después son recibidas por un cable que se encuentra a una gran distancia (la antena de recepción). Estas oscilaciones son muy débiles cuando hay una distancia grande entre el emisor y el receptor. Sin embargo, se han encontrado métodos con los cuales se amplifican eficazmente las ondas electrónicas, con válvulas electrónicas o

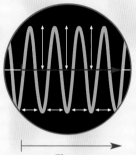

Tiempo = 1 s; frecuencia = 4 hertz

LA FRECUENCIA DE UNA ONDA indica el número de oscilaciones por segundo. La unidad de la frecuencia lleva el nombre de Heinrich Hertz; 1 hertz (Hz) corresponde a una vibración por segundo. La frecuencia de las ondas de radio se mide, por lo general, en kilohertz (kHz, 1 kHz = 1000 Hz), megahertz (MHz, 1 MHz = 1 millón de Hz) o gigahertz (GHz, 1 GHz = 1 billón de Hz).

ASÍ FUNCIONA UNA RADIO

Un micrófono convierte el sonido en oscilaciones eléctricas. Un oscilador genera rápidamente ondas radioeléctricas oscilantes a partir de las oscilaciones eléctricas (es decir, son "moduladas"). Después de amplificar estas ondas, una antena las emite moduladas. La radio recibe estas ondas con su antena y las amplifica. Luego separa las vibraciones lentas que contienen las señales de sonido de las ondas radioeléctricas y las hace audibles por el parlante.

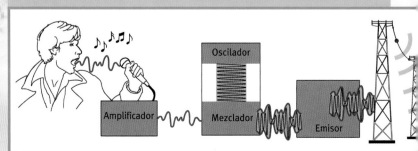

Un reloj radiocontrolado

no necesita ponerse nunca en hora, incluso así siempre indica la hora correcta. Esto se debe a que regularmente recibe señales de tiempo de un emisor ubicado en Fráncfort, que a su vez recibe información de los precisos relojes atómicos del Instituto Nacional de Meteorología en Braunschweig. Las señales de tiempo contienen informaciones sobre la fecha, la hora, los minutos y los segundos. El reloj utiliza estas señales y muestra siempre la hora exacta aun cuando haya cambios de horario, por ejemplo, en verano.

Una estación meteorológica radiocontrolada

consta de un emisor y un receptor. Cuando un emisor se coloca en el exterior, y el receptor dentro de una habitación, el emisor utiliza un semiconductor como sensor de temperatura que la mide constantemente. Un chip de computador recibe los datos, los codifica como valores numéricos y los manda cada pocos segundos a una frecuencia de onda ultracorta designada para ello. El receptor valora los datos y los pone en una pantalla. Actualmente hay dispositivos que muestran los pronósticos meteorológicos y los reciben a través de frecuencias de radio.

con transistores. Además, se ha descubierto que las ondas de radio pueden ser codificadas de manera que puedan transportarse sonidos, imágenes y otras informaciones muy rápidamente.

El campo de la electrónica que se ocupa de las ondas radioeléctricas y las ondas de radio es hoy día tan amplio, que en la actualidad cuenta con su propia designación: electrónica de alta frecuencia.

El hecho de que hoy día podamos telefonear casi en todas partes y por un costo muy bajo es uno de los milagros de la electrónica. Esto es posible gracias a un conjunto de redes de radio, emisores y radiorreceptores ubicados a lo largo y ancho del territorio. Las estaciones emisoras y receptoras, gracias a las cuales los celulares se conectan a la red radioeléctrica, se llaman estaciones base. Estas establecen la conexión con la red de telefonía fija o con otras estaciones base y de esta forma con otros usuarios de celular.

Los principales componentes de un teléfono celular son el altavoz, el micrófono, el teclado, la pantalla (display) y la batería. En el interior se encuentran además un chip de computador para el manejo, así como un emisor y un receptor con antena. Estos transfieren la información, datos o palabras, con la ayuda de ondas radioeléctricas entre la estación base y el teléfono celular.

> **¿Cómo se establece la conexión vía celular?**

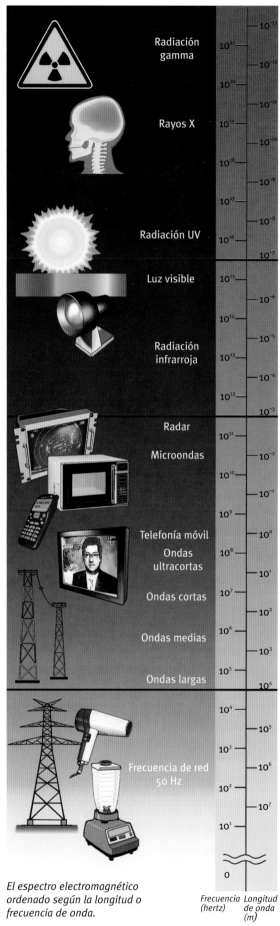

El espectro electromagnético ordenado según la longitud o frecuencia de onda.

Frecuencia (hertz) Longitud de onda (m)

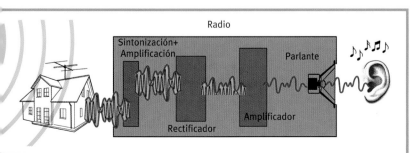

Radio

Sintonización+ Amplificación

Parlante

Amplificador

Rectificador

Antes de utilizar el teléfono celular se firma, por ejemplo, un contrato con una compañía telefónica; entonces se obtiene una "tarjeta SIM" y un número de teléfono que permite su accesibilidad. La tarjeta contiene un chip de computador en la que se graban los datos personales codificados. Hay que instalarla en el celular, y el usuario se identifica, de manera que la compañía telefónica sabe a quién le corresponde la factura.

Después de encenderlo, el teléfono busca automáticamente la estación base más cercana o a la de mejor recepción y establece la conexión con esta. Cada estación base se ocupa de los teléfonos que se encuentren en su área, su "celda", y efectúa diversas comunicaciones simultáneas.

El sistema computarizado de la red de radio comprueba si los datos personales de la tarjeta SIM son válidos. Si es así, el estado del teléfono se define como "accesible". Cuando entra una llamada, esta es dirigida al teléfono celular a través de la estación base más cercana a su ubicación. Si se cambia de celda durante una llamada, la comunicación es transferida automáticamente y con rapidez imperceptible a la estación base de la nueva celda.

ALARMA ANTIRROBO

El uso de RFID impide los robos en tiendas. RFID son las siglas de "Radio Frequency Identification": identificación mediante ondas radioeléctricas. Estos pequeños dispositivos contienen una antena y un chip electrónico que se colocan dentro de los productos. A la salida de la tienda hay un transmisor y un receptor de radio. En caso de que las ondas choquen con un RFID, este utiliza la energía recibida para reenviar una señal determinada, y entonces suena una alarma. Cuando se paga en la caja, se retiran los RFID.

Tecnologías similares se usan para desbloquear puertas o automóviles. A las mascotas se les puede implantar uno de estos chips bajo la piel. Así, el veterinario podrá conocer su origen gracias al número de identificación grabado en el RFID.

Hoy día basta echar un vistazo a un pequeño y no tan costoso aparato para determinar con precisión la ubicación momentánea. Esto es posible gracias a GPS: "Global Positioning System"; un sistema acometido por el Ministerio de Defensa de Estados Unidos y que funciona con la ayuda de satélites y ondas de radio.

Existen alrededor de 28 satélites GPS en órbita a unos 20 000 kilómetros de altura

¿Cómo encontrar una ruta mediante satélite?

Gracias a los teléfonos celulares podemos comunicarnos con nuestros amigos en todo momento y desde cualquier parte.

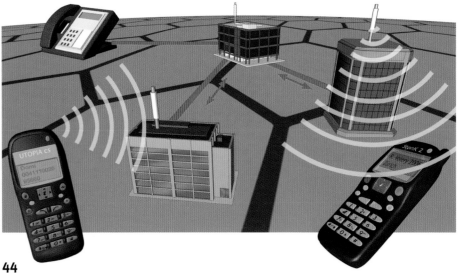

Las señales de radio llegan a la estación base local. Esta envía la llamada al operador. De aquí pasa por cable a un teléfono fijo o a la estación base correspondiente a otro celular que está conectada a la misma.

Los dispositivos de navegación (GPS) reciben las señales de los satélites GPS, calculan a partir de estas la ubicación actual correspondiente y las hacen visibles en un mapa.

de todos los satélites GPS hacia la Tierra.

El receptor GPS en el barco, en el automóvil, en el avión e incluso en las manos de un excursionista recibe estas señales. A partir de la diferencia de tiempo entre la emisión y la recepción de la señal el receptor puede calcular la distancia al satélite, ya que la velocidad de las ondas de radio es conocida (unos 300 000 kilómetros por segundo). Con estos datos el computador del dispositivo GPS calcula rápidamente la posición actual. La precisión de los receptores sencillos llega al menos a 5 m; los dispositivos más costosos pueden llegar a tener una desviación de tan solo pocos milímetros.

Sin embargo, un dispositivo GPS solo muestra la posición actual inicialmente. Si se desea encontrar un destino, se necesita además un mapa o una carta náutica. Por supuesto, los dispositivos modernos contienen un ma-

Por lo menos 24 satélites GPS circulan alrededor de la Tierra en diferentes órbitas para que en todo momento y en cualquier lugar por lo menos cuatro de ellos sean accesibles.

y sus órbitas se calculan con el fin de que se encuentren, en todo momento y lugar, por lo menos cuatro satélites en el horizonte. Cada satélite contiene un reloj de gran precisión que en un millón de años tiene un margen de error de máximo un segundo. Además hay un radiotransmisor a bordo que emite constantemente la secuencia de dígitos de identificación del satélite, su posición exacta y el instante preciso en el que se manda un mensaje. Más aún, transmite informaciones de los datos

Diversos usos: el GPS controla una máquina de arado automática en EE.UU.

pa y muestran en una pequeña pantalla el entorno con calles o senderos. Dispositivos de navegación para automóviles indican el camino que debe tomar el conductor, sin que este preste atención a la pantalla.

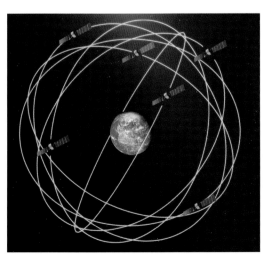

El futuro: de micro a nano

La electrónica tiene alrededor de 100 años de antigüedad. A pesar de esto, su desarrollo apenas empieza. Así crece constantemente el número de materiales para semiconductores. En muchos laboratorios se desarrollan polímeros especiales con propiedades de semiconductores. A diferencia de los polímeros convencionales, estos pueden conducir la electricidad. Sus propiedades se pueden alterar a través de cambios en su estructura química. Tales "semiconductores orgánicos" son adecuados para transistores, diodos luminosos, celdas solares y pantallas planas, entre otros. Son mucho más sencillos y por eso su fabricación es más económica que la de componentes convencionales; algunos incluso se pueden imprimir sobre el material de soporte.

Algunos semiconductores a base de polímeros resultan adecuados también como celdas solares. Investigadores de Siemens han desarrollado algunos materiales que pueden

¿Se desarrollarán nuevos semiconductores?

aplicarse como una capa delgada sobre plástico u otros materiales de soporte. A pesar de que la eficiencia de tales celdas solares, con aproximadamente 5 %, es significativamente menor que la de las celdas de silicio convencionales. Sin embargo, estas celdas de capa fina son más baratas. Como se pueden aplicar a casi cualquier material, pueden cubrir enormes áreas como tejados y fachadas con costos adicionales reducidos en comparación con un colector de corriente. Además, los investigadores esperan poder duplicar la eficiencia de las celdas en unos años.

¿Pueden construirse transistores más pequeños?

En 1971, el primer chip reunía unos 2300 transistores en una placa de silicio. Los chips modernos de computador contienen más de mil millones, dado que es posible fabricar transistores cada vez más pequeños. Sin embargo, en pocos años

Imagen ampliada de una trampa para luz de una cierta longitud de onda que puede ser utilizada por futuros computadores que funcionen con luz.

FOTÓNICA

Los chips que funcionen con fotones, es decir, con partículas de luz, en lugar de electrones serían especialmente pequeños y rápidos. Para ello, los investigadores trabajan con cristales que controlan los rayos de luz de una determinada manera, y por este motivo resultan apropiados para usarse como puertas o para el almacenamiento de datos. En unos años, la "fotónica" podría complementar a la electrónica en el procesamiento de datos o incluso reemplazarla.

Gráfico computarizado de una estructura de diversos cristales fotónicos, tal vez una parte de un futuro computador de luz.

CHIP ÓPTICO

Muchos investigadores están trabajando para devolver la vista a los ciegos. Médicos de Tubinga (Alemania) le implantaron un chip debajo de la retina a un ciego y lo conectaron a los nervios ópticos de la retina para que este recuperara algo de visión. Incluso para el uso en robots este sistema es interesante.

LOS LIBROS ELECTRÓNICOS...

... Son aparatos ligeros y prácticos que permiten llevar siempre encima miles de libros o descargar por conexión inalámbrica más libros y artículos de revistas. La pantalla es muy nítida y clara y además no consume mucha energía. La pantalla de los aparatos en blanco y negro contiene un sinnúmero de diminutas celdas en las se encuentran bolitas negras y blancas respectivamente, cada una más pequeña que una mota de polvo. Al aplicar una tensión eléctrica alterna en la celda se puede cambiar su aspecto del blanco al negro, lo que permite la visualización de letras e imágenes, pero no de películas. Otros aparatos modifican la luz mediante procesos físicos como lo hacen algunas alas de mariposa. Estos pueden reproducir colores e incluso videos.

Los libros electrónicos pueden mostrar en un futuro el contenido de millones de libros que podremos descargar rápidamente de Internet.

Un smartphone es un celular y un computador a la vez: dispone de calendario, agenda de direcciones, navegador web, correo electrónico, grabadora de voz, cámara, radio, procesador de textos, GPS y un sinnúmero de otras aplicaciones ("apps").

la microelectrónica alcanzará sus límites con el silicio.

La nanotecnología podría aportar soluciones. Con este nombre se conocen las técnicas de componentes muy pequeños, no más grandes que las moléculas. El punto de referencia para esta tecnología es el nanómetro: $1/1\,000\,000$ mm.

Varios grupos de trabajo ya han construido los nanotubos y han probado con éxito transistores en forma de Y, contadores y puertas. Los nanotubos son estructuras diminutas hechas de átomos de carbono con un diámetro de unos pocos nanómetros. Los investigadores estadounidenses tomaron un camino distinto: construyeron cruces de cables muy finos de platino. En el punto de unión se encuentra una molécula de composición compleja: una pieza anular puede deslizarse hacia arriba y hacia abajo sobre una parte alargada de la molécula. Con una tensión eléctrica de cierta intensidad se puede mover de un lado a otro, con una intensidad menor se puede recono-

cer el estado respectivo. El dispositivo "Crossbar Latch" tiene tan solo dos o tres nanómetros y es cerca de 40 veces más pequeño que un transistor convencional, pero aun así sirve como memoria de datos y también para procesar programas de computador.

La "espintrónica", quizás haga posible la construcción de chips de alta eficiencia; utiliza no solo las propiedades eléctricas sino también las propiedades magnéticas de un electrón. Estos chips consumen poca energía.

Los investigadores de la Fraunhofer-Gesellschaft construyeron recientemente un computador del tamaño de un terrón de azúcar y creen que los computadores se reducirán al tamaño de un grano de trigo en un futuro próximo. Todavía más: serían capaces de explorar su entorno de forma independiente con la ayuda de sensores, de comunicarse y de establecer una red.

Todos estos desarrollos tendrían lugar en los próximos diez años. ¿Cuál será la apariencia de estos productos electrónicos o de las técnicas que les sucedan en 100 años? Eso no nos los podemos ni imaginar hoy día.

Índice

La creación de un diagrama de circuito.

SUMINISTRADORES DE COMPONENTE ELECTRÓNICOS (ALEMANIA):

- Empresa Conrad Elektronik, www.conrad.de
- Empresa Reichelt, www.reichelt.de
- Empresa Kessler-Elektronik, www.kessler-elektronik.de
- Editorial Kosmos, www.kosmos.de